製造業のDXを3Dで加速する

デジタル家内制手工業からの脱却

ラティス・テクノロジー株式会社
代表取締役社長
鳥谷浩志

GENTOSHA
幻冬舎 MC

本作品に登場する社名、商品名は各社の商標または登録商標です。

はじめに

１９９３年に『リエンジニアリング革命』という本が出版され、ＢＰＲ（Business Process Re-engineering）という言葉が一世を風靡した。全社レベルで業務プロセスを可視化し、部門間で重複するムダな業務、ボトルネックとなっている業務を見つけ、組織全体の業務プロセスを最適化せよという、現在のＤＸ（Digital Transformation：デジタル・トランスフォーメーション）に通じることが主張されていた。人の世代は30年で変わっていき、失敗の記憶はその間に風化する。だから、バブルは30年ごとに繰り返すという。まさにＤＸにおいても、歴史は繰り返している。

ＢＰＲに関しては、分かりやすいエピソードを覚えている。決裁処理をするのに書類が組織長を回っていたが、その書類が各決裁者のところで2、3日滞留するので、全部で10日以上かかっていた。書類をその担当者が持って回り、各決裁者のところまで行ってサインしてもらうようにしたらすべてが1日で片付くようになり、納期を10分の1に短縮したというような話であった。

現代の我々にはデジタルという武器がある。組織間の情報共有は瞬時に可能である。30年前のＢＰＲと同じようにプロセスのムダを見つけて最適なプロセスを構築できれば、30年前とは違ってデジタルで圧倒的な生産性の革新ができる。今、我々はこのことをＤＸと呼ぶ。


国際情勢、気候変動、感染症と企業を取り巻く環境は目まぐるしく変わっている。変化をよく見ると、日本の製造業に極めて有利な状況が生まれていることに気付く。

１９８９年のベルリンの壁崩壊で東西冷戦は終結し、中国が安価な労働力で世界の工場となった。この構造が今、米中対立や２０２２年のロシアによるウクライナ侵攻、２０２３年のイスラエルとパレスチナの紛争で反転しようとしている。半導体産業のような先端分野では米中で全く異なるサプライチェーンが築かれつつある。供給網の再構築を迫られる中、生産技術をリアルに維持してきた日本の製造業が選ばれる時代が始まった。

その製造業がプロセス変革に挑みＤＸ武装すれば、より強固な国際競争力を持つはずである。前著『製造業のＤＸを３Ｄで実現する』は、先端の３Ｄ技術をいかに活用してＤＸを実現するかという視点で書いた。それ以降、プロセス変革を伴うＤＸで先を行くユーザーがそれをどう実現してきたのかという視点で、製造業ＤＸに関するブログを書き溜めてきた。本書はそれを大幅に加筆修正したものである。

ものづくりの基幹データである３Ｄの設計データにものづくり情報を付加し、その価値を高めることで情報流通を加速させる。瞬時のデータ共有は30年前には不可能であったプロセスの並列化を実現する。そのデータを現場で徹底活用することでさらなる生産性の向上を実現できる。

３Ｄは実際に体験してみないと分からない。前著で好評であったＱＲコードを各章に配置し、ビデオや３ＤモデルをスマホからもＷｅｂで参照できるようにした。興味ある方は是非、ご覧いただきたい。

30年ぶりに訪れた製造業のビッグチャンスに、30年前には不可能であったことを可能にするデジタル技術を使って成功をつかむ、そのような製造業の皆さまに本書が少しでも貢献できれば幸いである。

CONTENTS

第3章 ドイツ発Industrie4.0に学ぶ製造業DX×3D

第4章

3Dデータ活用と集団脳

第5章

トヨタ自動車が新PLMに望んだこと

第6章 ついに来たるか3D図面の時代

第7章 米国大手防衛産業に学ぶ生技DXの神髄

第8章

竹内製作所におけるファーストペンギンが切り開くDXへの道

第9章

日本電子における現場主導のVR展開

第10章 LIXIL社に見る「DXは一日にしてならず」

第11章 SUS社の挑む3Dによるビジネス革新

第1章

変化の時代に
変革を成功に導く公式とは?

新型コロナとの闘いが終焉に向かう中、地球温暖化という危機に人類全体で対峙しようという2022年2月、ロシアによるウクライナ侵攻が始まった。それ以前から進む米中分断でグローバル化がきしみ始めていたが、ロシアの動きは歴史の歯車を大きく反転させる。冷戦終結以降、経済効率を最優先してきた日本も他の欧米諸国とともに、人権や民主主義を最優先するようになる。

時代を振り返ってみると、1989年11月のベルリンの壁崩壊から始まった急激なグローバリゼーションの波は、国際分業による経済発展をもたらした。一方、移民問題や貧富の格差拡大、過剰なエネルギー消費といった負の問題を引き起こし、2010年以降はグローバル化の反転が目立つようになる。

立ちすくむグローバル化

その第1幕が2017年に誕生したトランプ政権による米国第一主義、そして、Brexitつまり英国のEU離脱であった。

そして第2幕が2018年からの米中貿易戦争。GDP世界1位と2位の繰り広げる

図1-1　目まぐるしく変わる世界情勢

1989年	ベルリンの壁崩壊
2008年	リーマンショック
2017年	米国でトランプ政権成立。米国第一主義始まる
2018年	米中貿易戦争の激化
2019年	新型コロナ発生
2020年	英国がEU離脱
2022年	ロシアがウクライナに侵攻

関税導入合戦は貿易を委縮させ、中国の通信機器大手であるファーウェイ排除に象徴されるハイテク戦争も予断を許さない状況にある。

そして第3幕では新型コロナが発生、欧州の国境閉鎖とロックダウンという都市封鎖も世界は経験した。そこにウクライナ侵攻が勃発し、米中対立や、グローバルサウスと呼ばれる新興国による第三勢力との価値観の相違が影を落とす。日本の近くには台湾問題もある。世界最先端の集積回路の9割を生産する台湾は民主主義国家を標榜し、中国と対立する。

激動の時代に考えなくてはいけないこと

こういった世界情勢に加えて、感染症のリスク、温暖化問題といった企業や国家の枠組みを超えた問題が企業を揺さぶる。かつて、在庫を持たない経営や消費地の近くでの生産は、経済効率上ベストな方策であった。しかし、これだけ激動の時代になると、ある日突然、半導体が入荷しないといったことが起こる。トヨタ生産方式のジャスト・イン・タイムとは在庫を持たない経営ではなく、適正な在庫を持つことだと改めて認識させられた。

経済最優先の時代には、たとえそこが強権国家であっても、人件費が安ければ、あるいは大きな市場があれば、そこに生産拠点を持つことが普通であった。歴史の転換点を迎えた今、そこに大きく依存するのは危険だ。欧州に近いロシアに製造拠点を持つというのもグローバル時代には当然のことであったが、今の世界情勢では、ロシアでビジネスをしていることそのものが企業の評価を下げるリスクとなる。明らかなことは、日本の属する西側諸国の判断基準が劇的に変わってしまったということである。

加えて日本には、風水害や南海トラフといった震災のリスクもある。さらにリクルートワークス研究所によれば、2040年には少子高齢化によって労働人口が1100万人も不足するという。

我々、普通の市民では抗うことのできない状況が続く中、企業にはいったい何ができるだろうか？　当たり前のことのようだが、平時には効率的に生産販売し、有事には状況の変化に機動的に追従できるよう準備しておくこと、これを地道に愚直に追求しておくことだろう。

２０２３年12月現在、西側諸国の援助もあって、ウクライナとロシアの戦局は膠着している。ウクライナの戦乱は通常兵器による攻撃に加え、フェイク情報の拡散やサイバー攻撃を含むハイブリッド戦といわれる。このサイバー戦でも効果的に戦ったことがウクライナの善戦につながっている。

報道によれば、ロシアによるサイバー攻撃時にマイクロソフト社が総力をあげて防御し、スペースX社が構築した人工衛星による通信網を利用してインターネットアクセスを可能にしてきた。平時からデジタルの備えを十分にしていたウクライナが、兵力で10倍差のロシアに善戦している理由の一つでもある。これは激動の時代を生き抜く製造業にも大きなヒントになる。デジタルの活用は、平時にも有事にも有効な手法となろう。

この30年の間に製造業では何が起こっていたのか

話を日本の製造業に絞ってみる。１９９０年以降、失われた30年とも揶揄される日本において、製造業にはいったい何が起こっていたのだろうか。伸び悩む日本経済とともに地盤沈下が進んでいたのだろうか。

２０２３年初頭、東京大学大学院経済学研究科の経営教育研究センター（ＭＥＲＣ）長である新宅純二郎教授と対談する機会に恵まれた。その際、この疑問をぶつけてみた。新宅教授は、１９９０年代こそ、それまで欧米追従であった日本の製造業が、液晶ディスプレイやＤＶＤなど、日本生まれの技術をようやく世界に打ち出した時期であると指摘する。その後の半導体や液晶パネル産業が衰退したかに見える時期ですら、産業規模が桁違いに成長する中、日本企業は部材や製造装置といった付加価値の高い分野にシフトし、パネル関連産業というくくりでは大きな成長を遂げたという（ＱＲ01）。

その後、２０１１年の１ドル75円という超円高の時代を挟み、製造拠点の海外移転が進んで国内の製造業は空洞化していったのではないかという問いには、ハイブリッド車に必要な先端品や精密な金型など、基幹となる部材や中間財は日本からの輸出が中心と

QR01：SPECIAL対談「産学連携で製造業の未来を拓く」
知識交流と創造のプラットフォームで製造業を支える

なっていると指摘する。

日本の製造業の輸出の実態については、ＭＥＲＣを新宅教授と共同で立ち上げた藤本隆宏早稲田大学教授の作成した次ページの表が興味深い。日本の工業製品の貿易収支を見ると、２００８年のリーマンショックから２０１１年の東日本大震災に続く時期と２０２０年のパンデミックの時期には低迷したが、それ以外の輸出金額は一貫して成長している。２０２２年には、パンデミック期の反動か円安の影響か輸出金額は大きく伸びて史上最高の90兆円を超え、30兆円近い貿易黒字を生み、日本の経常収支を下支えしている。

藤本教授によれば、日本の製造業就労者数は１９９０年からの30年で１５００万人から１１００万人弱まで減少しているという。一方、少し計算してみると、製造業の付加価値生産性はこの30年で約2倍に向上しているとも指摘する。日本の製造業は失われた30年の中でも善戦してきたといえるのではないだろうか。

この間、中国の製造業は安い賃金を武器に躍進してきた。一方、中国の賃金の上昇

図1-2　日本の工業製品貿易収支の推移
（早稲田大学の藤本隆宏教授による）

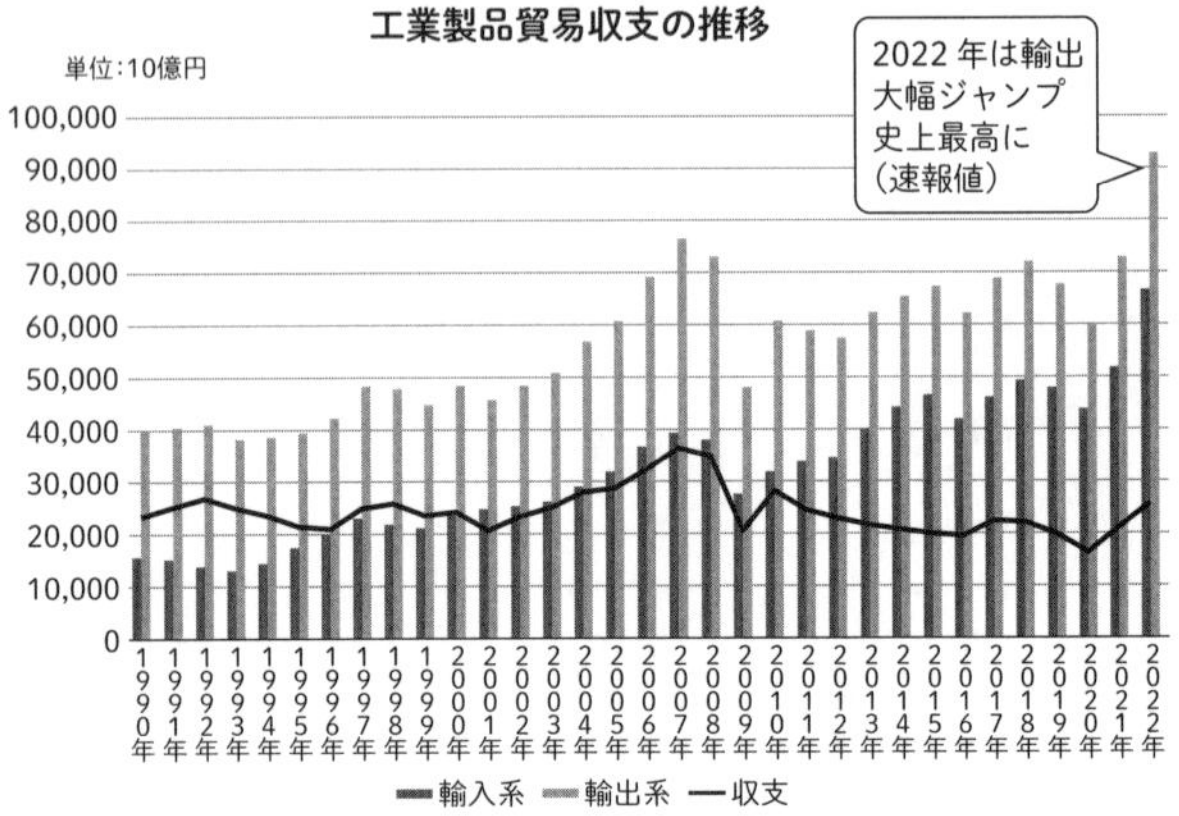

出典：財務省貿易統計（https://www.customs.go.jp/toukei/search/futsu1.htm）のデータをもとに作成

幅は大きく、かつて日本の20分の1といわれた賃金格差はすでに2分の1、3分の1にまで縮まっているという。この程度の格差であるなら、改善の積み重ねで生産性を上げれば、すぐに製品の価格差は逆転できると藤本教授は指摘する。生産性を上げるには、設計情報のよい流れを実現することが重要であり、そこではデジタルも武器になるだろう。

　では製造業の経営上の課題は何かと新宅教授に問えば、販売機会のロスとデジタル化に各社がどう取り組むかだと指摘する。

グローバル化が進展する中で、製造業はＱ（Quality：品質）、Ｃ（Cost：コスト）、Ｄ（Delivery：納期）のうち、コストを重視しすぎたのではないかという。サプライチェーンがグローバルに複雑化し、流通に支障をきたし、販売機会を失ってしまうのである。デジタル化に関しては、日本は擦り合わせ型ものづくりに強みを持つが、部門間には見えない壁があるのが課題である。その「部門間の風通し」をデジタルで良くすることが、全社の業務改善を促すことになるのではないかと指摘する。

デジタル化が遅れているといわれる中ですら生産性を上げている製造業であれば、デジタルを効果的に活用すれば、さらに大きな成果を手に入れることが可能なはずだ。しかし、日本の製造業の強みとされる、現地現物を主体とした擦り合わせや複雑な紙図面をも読み解く現場力があまりに成功しすぎ、そのアナログなプロセスが「部門間の風通し」を悪くしている。多くの企業で３Ｄ設計をしているにもかかわらず、図面が後工程に流れているという実態が風通しの悪さを物語っている。

この設計の３Ｄ情報が全社に流れる仕組みを平時に構築しておけば、生産性向上に大きく寄与するだろう。情報の共有が即座に行われて納期短縮に貢献するとともに、後工程の必要とする情報が自動的に生成され、ムダを排除することができるからである。

これは同時に有事にも有効である。製造ノウハウを3Dで蓄積し再現できるようにしておくことで、サプライチェーンさえ維持できれば、有事には別の製造拠点を即座に立ち上げることができるからである。本書では、この3D情報を利用して企業のプロセス変革をいかにデジタルで実現できるか、つまり製造業のDXをテーマとする。

日本の製造業のDXが成功しない3つの理由

しかしながら、日本の製造業でDXに華々しく成功したという事例はあまり聞かない。その理由は3つにまとめることができる。

① 日本の経営環境
② 経営トップの理解不足
③ 組織内の同調圧力

第一の経営環境とは、日本では従業員の解雇が難しいという問題である。

そもそもデジタル技術は自動化や省力化で効率を上げることが得意であり、その結果、余剰人員が生まれる。余剰人員をすぐにレイオフできる米国では、それがそのまま収益改善や株価上昇につながるので、経営陣は率先してＤＸに取り組む。

一方、解雇の難しい日本では、自動化で生み出された余剰人員はそのまま温存され、収益の向上につながらない。余剰となった社員のリスキリングによって、新たな収益を生み出す必要がある。

第二は経営トップのＤＸ化への理解が不足したまま、ＤＸ推進部のような組織を作り、そこにＤＸを丸投げするようなケースである。そこに第三の要因である成功体験への執着と現状維持への同調圧力が生まれたとき、ＤＸは中途半端な形で終わる。

典型的なケースを考えてみよう。ＤＸ推進部はデジタルツールの導入を進める権限は持つが、肝心のプロセス変革にまで切り込むのは難しい。現状を変えたくないという現場の同調圧力に負けて、ＤＸ推進部は組織やプロセスを変えずにデジタル化だけを進めてしまう。これは古い組織やプロセスを温存することを意味する。結果的に非生産性を拡大し、ムダなＩＴ投資を増やすことになる。これだけ社会が大きく変化しているのに社内の変化を拒否することになる。

分かりやすい例として思い浮かぶのがセブンイレブンの多彩な決済方法である。現金、Ｑｕｏカード、商品券、nanacoやSuicaなどの電子マネー、PayPayなどのバーコード決済、クレジットカード、デビットカードなどありとあらゆる決済方法が可能である。これはおそらく過去の成功体験を継承する手法であり、消費者にとっては最高のおもてなしである。

しかし、もしこれと同じことを社内でもやっていたら、大変なムダである。ビジネス的に有益かどうかはともかく、もし店頭決済をnanacoに統一すれば、ＩＴ投資も現場の負担も激減するだろう。ＤＸの本質は業務やプロセス、組織の改革であり、その決断はトップだけができるのである。

過去の成功体験が生み出すデジタル家内制手工業とは?

実は、過去の成功体験が大きければ大きいほど、組織の変革が難しくなる。なぜなら、ある事業が成功すればするほど、それを成し遂げた組織やプロセスは、その成功を実現するための形に最適化されていく。そこには成功を築き上げた先輩社員がおり、改善に改善を重ねてきた業務プロセスがある。リスクのある変革に立ち向かうにはあまりにも抵抗が多いのだ。つまり、実績があればあるほど、プロセス変革は困難になるのである。

このように成功した旧プロセスを温存したままでデジタル化を進めるのは、大きなリスクだ。なぜなら、古いプロセスは、デジタル化によってより強固になり、企業に後ろ向きの投資を強いることになるからである。これは先のセブンイレブンの事例からも類推できる。

本書では、プロセスが変わらないままに各部署にデジタルツールが乱立し、プロセス間でデータ共有ができないままにデジタル化が進んだ状態を「デジタル家内制手工業」と呼ぶ。トップが明確な指針を出さないと、ＤＸという名の元に強固なデジタル家内制手工業が確立してしまう。成功を生み出したノウハウや経験に裏打ちされた業務プロセスの変革は困難である。

日本の製造業でいえば、それは現地現物ベースの擦り合わせと、紙図面と紙帳票を読み解き改善を進める現場の力であろう。しかし、大きな環境変化を迎えた現在、これを変えていく必要がある。ダーウィンの言葉を借りるまでもなく、生き残るものは強いものでなく、変化に追従するものだからである。

では、変革に対する抵抗に打ち勝って、デジタル家内制手工業に陥らないためにはどうすればよいだろうか？

米国で生まれた変革を成功に導く公式とは？

米国には変革を成功に導くためのBeckhard and Harrisの公式と呼ばれるものがあるという。これによれば、変革（C）は、不満（D）、ビジョン（V）、最初の一歩（F）の積として定義され、それが現場の抵抗（R：Resistance）を上回ったときに成功する。変革が積として定義されているということは、DやV、Fの値がゼロであれば、変革は成功しないことを意味する。

つまり、現状の課題が明確で、未来に対する確固たるビジョンがあり、それを実現するための最初のステップが見えていることが必須であるということだ。

図1-3　変革を成功に導くための公式

$$C = D \times V \times F > R$$

C：Change（変革）
D：Dissatisfaction（現状への現場の不満、経営の抱える不安）
V：Vision（ビジョン、今後のあるべき姿）
F：First step（あるべき姿に向かう最初の一歩。具体的な方策）
R：Resistance（現場の抵抗）

この公式は１９６０年代に提唱され、１９７０年代にブラッシュアップされたというから、アナログな手法による変革を対象としていたはずである。しかし、その考え方はＤＸの時代にも色あせていない。経営トップが確固たるビジョンを持ち、組織の課題を現場と共有し、ＤＸ推進リーダーには変革に向けた最初のステップが明確に見えていることがＤＸ成功の肝なのである。

これを現代の製造業に当てはめて考えてみるとどうだろうか？　目まぐるしく変わる経営環境の中で、旧来の現物擦り合わせや紙の図面や帳票に基づくアナログなものづくりで世界に勝てるのかという不安は経営サイドにはあるだろう。人手不足の中でこのままのやり方で質の高い生産を継続できるのかという現場の不満もある。Ｄは十分に大きな値となっている。また、各社のホームページ上で公開されているＩＲ資料を見ると、ＤＸによる企業変革に取り組むという文言のないものはほとんど見当たらない。経営サイドはしっかりとしたビジョンを示している。

今、不足しているのはＦ、つまり、まず進むべき最初の一歩は何かを見極めることであろう。

本書のテーマは「製造業ＤＸ×３Ｄ」、つまり、製造業のＤＸを３Ｄでいかに加速するかである。

ＤＸとは究極的には部門を超えた全社的なデータ活用である。３Ｄ設計が普及した現在でも、ここから生み出される３Ｄデータは CＡＤ／ＣＡＭ／ＣＡＥといった設計ＤＸ枠組みの中にいる。３Ｄデータを設計部門から解放し、全社的に３Ｄデータの活用を進めていくことが製造業ＤＸ×３Ｄの起点となる。つまり、設計ＤＸにより生まれた３Ｄデータを後工程のプロセス変革にも活用するのである。

このデータ活用によって、生産技術、工場、調達、営業、サービスといったさまざまな部門での生産性を向上させ、時にビジネスプロセスの変革を生み出すことが、先行する事例から分かっている。変革の成功に向かっては、この公式が示すように、全社のビジョンに沿いながら各部門の困りごとを解決する最初の一手を見つけることが重要である。

本書では、先の公式のFの値を最大化するための方策を各社の事例や技術動向を模索しながら紹介していく。

第2章

ものづくり白書から
DXを読み解く

図2-1　日本の人口の長期推移

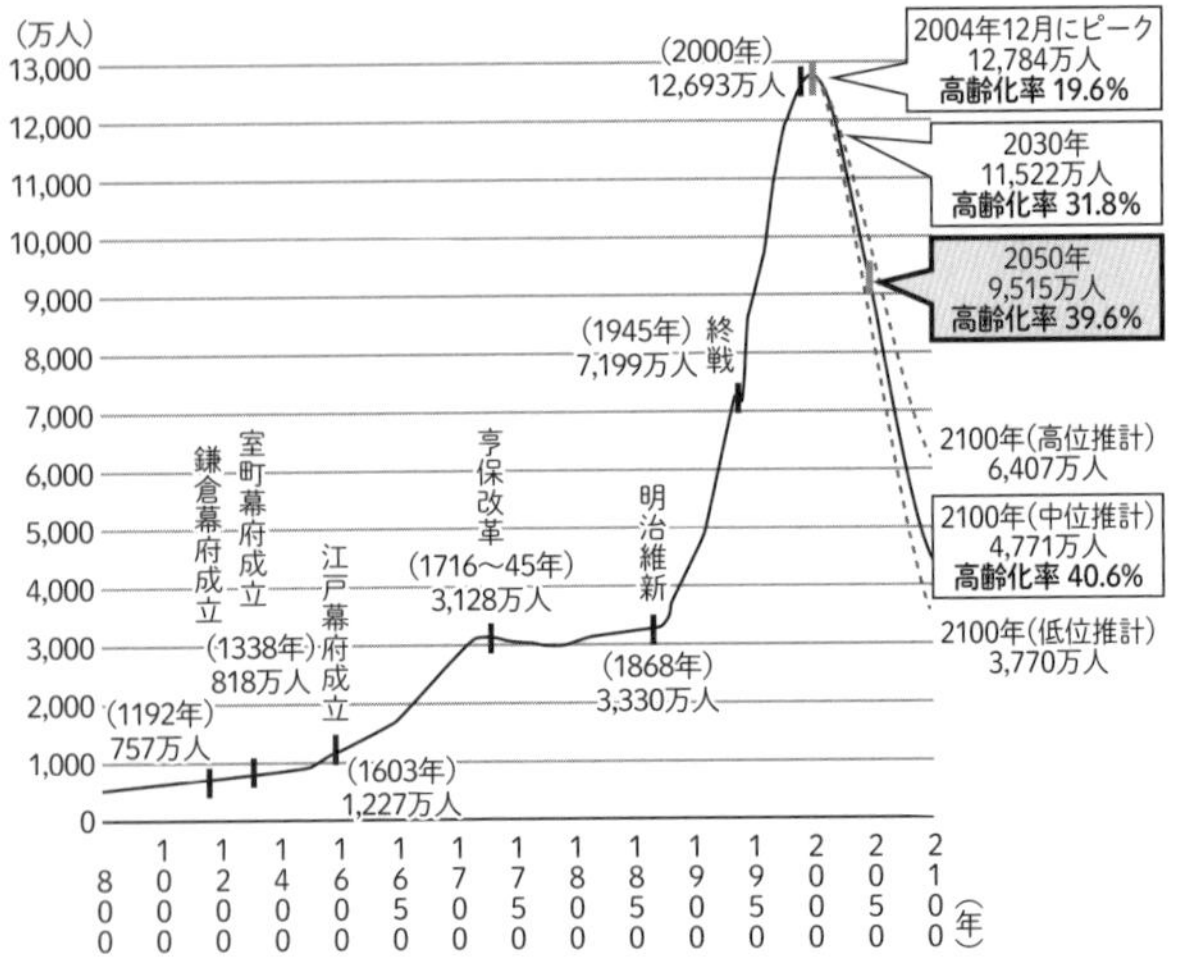

出典:「国土の長期展望」中間とりまとめ 概要(平成23年2月21日国土審議会政策部会長期展望委員会)

「まことに小さな国が、開化期をむかえようとしている」「小さな。といえば、明治初年の日本ほど小さな国はなかったであろう」

司馬遼太郎の小説『坂の上の雲』のフレーズである。ふいにこれを思い出したのは、日本の人口の推移のグラフを目にしたからだ。

明治維新以降、日本の人口はまさに急坂を上り、第二次世界大戦という不幸を越えて、戦後に百花繚乱の開化期を迎えた。図２−１は、その人口が２００４年以降、急坂を下っていくことを示している。連日報道される線状降水帯のもたらす水害の映像を見ていると、坂の下の濁流に日本は飲み込まれてしまうのではないか、そんな危機感すら覚えてしまう。

岸田政権の進める異次元の少子化対策が多少効いたとしても、恐ろしいほどの人口減少社会に日本は対応する必要がある。この間、気候変動に対応するためのＥＶ（電気自動車）化を始め、産業構造が大きく変化していくだろう。直近では、世界的なインフレに対応するため、日本でもついに金利上昇が起こり、企業の金利負担も増えるはずだ。このような環境に、日本の製造業はどう対応していけばよいだろうか。経済産業省のものづくり白書を紐解いてみた。

製造業は国際競争力を持つのか？

２０２３年のものづくり白書は、我が国の製造業の現状として、まだまだ国際競争力を保持していると指摘する。実際、そこに掲載されている２０２０年度の日本、米国、欧州、中国企業の主要製品の売上高を見ると、１兆円以上の売上を持つ製品が日本には

図2-2　協力企業への設計指示の方法は何か？

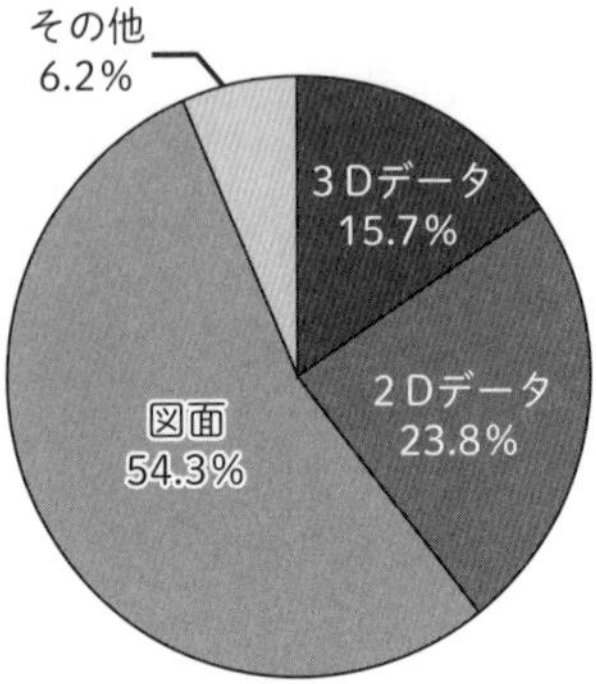

出所：2020年版ものづくり白書

18個あり、そのうち自動車だけで54兆円もの売上がある。

また、世界シェア60％以上の品目を見ると、エレクトロニクス系や自動車の部品や素材を中心に220個と他国を圧倒して多い。日本の製造業は国際的にも強い競争力を維持しているといえる。

製造業の国際競争力を考えたときに気になるのが、製造業全体で見たときのデジタル武装の遅れである。1977年に3D CADが誕生して半世紀経ち、日本の製造業の6割以上が3D CADで設計する時代になった。

一方、2020年のものづくり白書に

は、見落としてしまいそうなくらい小さい、しかし、重要なグラフがある。それは「協力企業への設計指示の方法は何ですか」という問いへの回答だ。図2－2を見ると3Dデータで渡すところが15・7％、2Dデータで渡すところが23・8％、図面で渡すところが54・3％だという。3Dと2Dを合わせて39・5％がデータで設計指示をしている。逆に考えると、残り6割もの企業がデータを渡していない。それどころか、もともと6割以上が3D CADで設計していたはずなのに、3Dデータで指示しているところはわずか15・7％にすぎない。

この事実は、設計のデジタル武装が進んだにもかかわらず、後工程では旧態依然とした方法で仕事をしていることを厳然と示している。

製造業はデジタル家内制手工業に陥っていないか？

実際に多くの製造業を訪問してみると、設計部門はCADで設計し、CAEで設計を評価し、3Dプリンターで試作し、CAMで部品を削り出すという3Dデータを基盤としたものづくりプロセスが確立している。最近ではさらに、メカとエレキ、ソフトをモデル化し、システムで扱うといったＭＢＳＥ（Model Based Systems Engineering：モデルベース・システムズエンジニアリング）といった手法も提唱されており、設計部門では３Ｄモデルを軸にますますプロセス革新が進んでいく。つまり、設計ＤＸの進展は著しい。

一方、それに取り残されていると感じるのが設計に続く、生産技術、工場、サービス部門の変革である。

３Ｄデータは多くの企業で２Ｄ図面化され、ＰＤＦデータや紙で流通する。生産技術部門では紙図面や紙帳票に基づいて試作機を作り、設計部門に問題をフィードバックしつつ組立工程を設計する。その結果として出来上がった作業指示書や検査指示書といった紙帳票で工場は仕事を進める。２Ｄ図面データはサービス部門で加工され、取説やサービスマニュアルの中のイラストとして活用される。

結果として、各部門からは経営層に対し「うちはデジタルデータを活用して仕事をしています」という報告がなされるので、トップは当社のＤＸは順調だと信じているのだろう。しかし、後工程はほぼアナログなものづくりになってしまっているのが現実なのである。

この状況を「デジタル家内制手工業」と呼ぶ。デジタル家内制手工業では、部門内のデータは部門を超えるときに３Ｄから２Ｄへと次元が下がり、アナログ化され紙となり、流通先でデータとしての価値をどんどん下げていく。

問題は、デジタルデータの次元を下げ、アナログ化することに人手がかかるということである。つまり、設計部門から３Ｄデータが出るときに、それを２Ｄ図面化し、そのデータを紙図面として印刷して配布する。そこに携わる人はデータの価値を下げ、活用範囲を狭めることに労力を費やしてしまっている。この過程で、活用すべきデータは本来持っていた情報をどんどんと失っていく。大変もったいない話である（ＱＲ02）。

DXの本質とは何か？

２０２３年のものづくり白書には、ＤＸとは「データやデジタル技術を使って新たな価値を創出していくこと。そのためにビジネスモデルや企業文化の変革に取り組むことが重要」と説明されている。では、データを利用して生産性を上げ、顧客に新たな価値

QR02：製造業DX×3D成功のヒント
コラム09.DX成功のキーを握るのは？

図2-3　部門を超えたデータ活用はなぜ進まないのか？

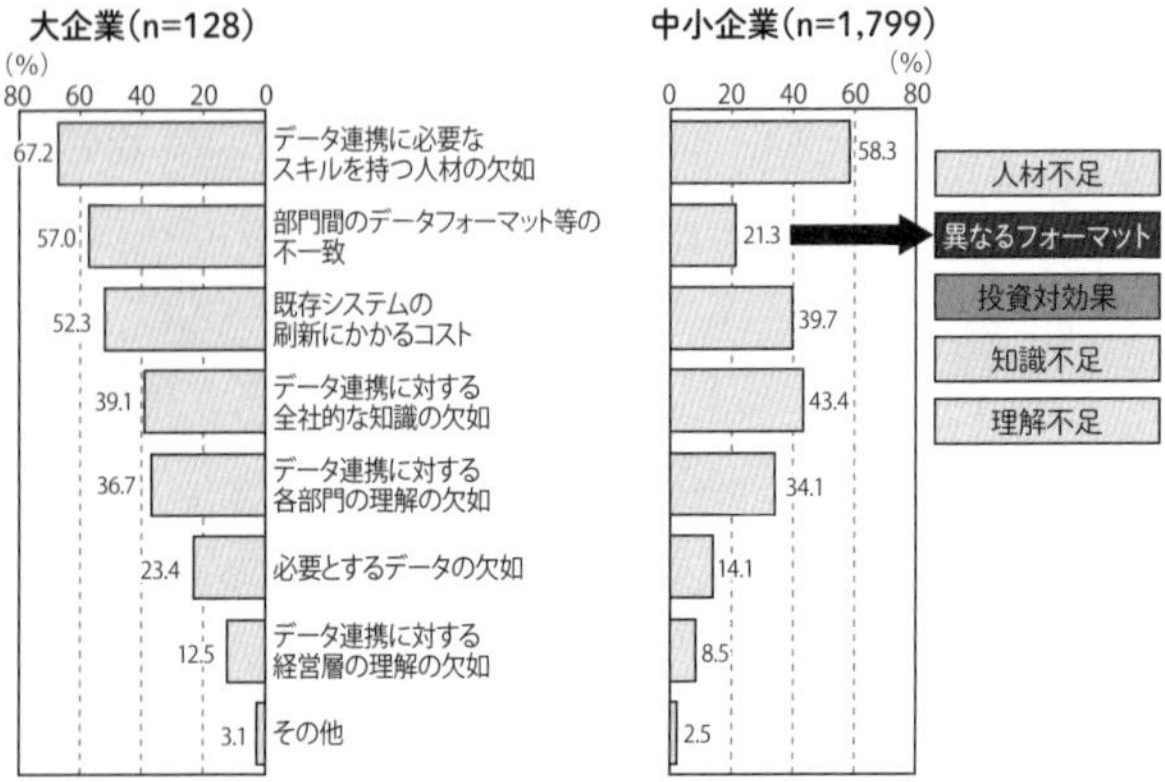

出典：三菱UFJリサーチ＆コンサルティング(株)「我が国ものづくり産業の課題と対応の方向性に関する調査」に加筆（2023年3月）

を提供し、顧客にも従業員にも選ばれる会社になるにはどうしたらよいだろうか。

　そのためには、部門間でデータを共有し、流通するデータを各部門で徹底的に活用することが極めて重要である。データを共有することで業務プロセスを並列化し、生産性を上げることができる。部品番号のような共通のＩＤを利用して、各部門の別の情報と統合し、流通するデータの価値が上がれば、その活用の幅と質を上げていくことができる。

　つまり、ＤＸの本質とは「部門を超えてデータを共有することであり、流通の過程でそのデータの価値を上げること」なのである。しかし、実際には部門を超えた情報流通は難しい。なぜだろうか？

ものづくり白書にその解答がある（図２－３）。

ＤＸ、つまり部門間のデータ活用がなぜ進まないのかという分析である。それによれば、第１、４、５位がデータ連携できる人材がいない、知識がない、理解がないというもので、要するに推進できる人がいないということである。当然、投資対効果も不明確であり、第３位にあるようにコストが捻出できない。

その真因は何だろうか？　間違いなく、第２位の部門間でデータフォーマットが異なるということだろう。フォーマットを統一してしまえば、そのデータを部門間で流通させるだけである。データ連携に必要な手間は激減し、各部門の人材はその統一フォーマットによるデータを活用していかに価値を生み出すかに専念できる。少ない投資で大きな効果が見込める。

統一フォーマットによる部門間のデータ流通にＤＸ成功の本質があるといえるだろう。

図2-4　データを流通させることで、
デジタル家内制手工業から脱却する

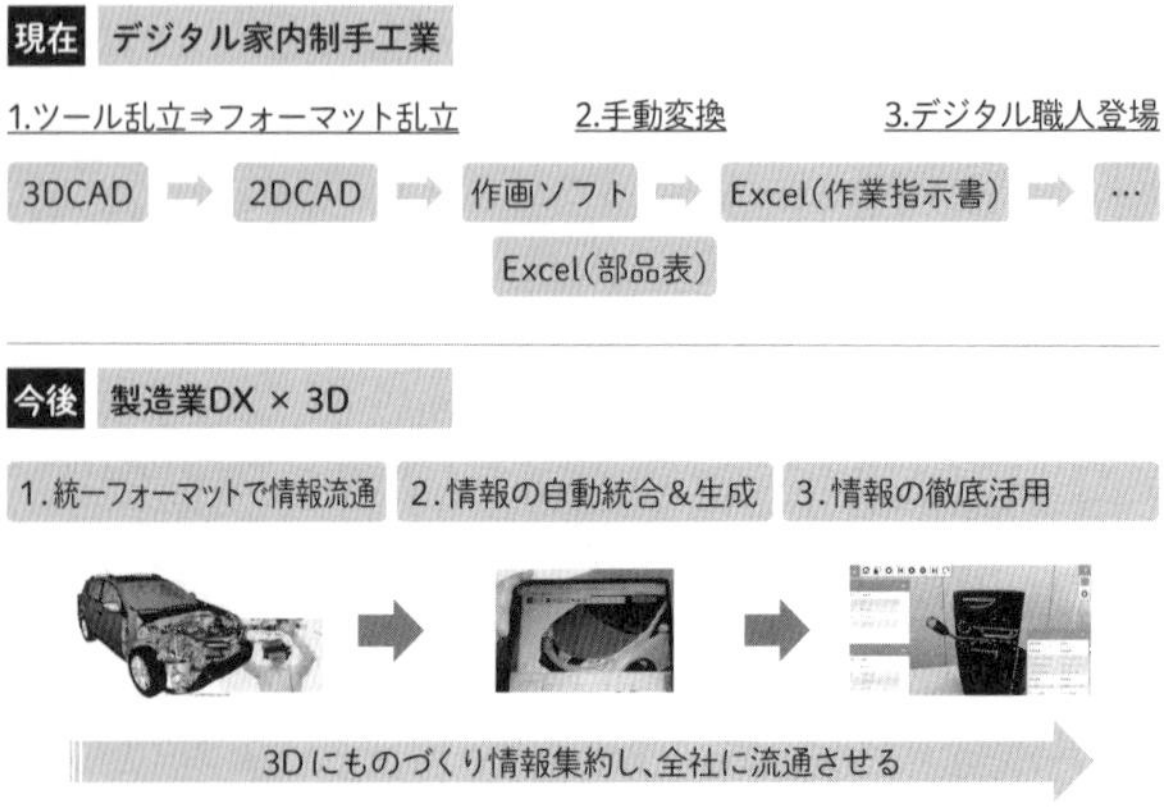

現在
デジタル家内制手工業
1.ツール乱立⇒フォーマット乱立
2.手動変換
3.デジタル職人登場
3DCAD
2DCAD
作画ソフト
Excel(作業指示書)
…
Excel(部品表)
今後
製造業DX × 3D
1.統一フォーマットで情報流通
2.情報の自動統合&生成
3.情報の徹底活用
3Dにものづくり情報集約し、全社に流通させる

当社資料より作成

「デジタル家内制手工業」から脱却する方法とは？

ここで「デジタル家内制手工業」に陥った会社の典型的な姿を図2－4に示そう。

DXの波の中、多くのデジタルツールが部門間の調整もなく導入されていく。当然、ツール間の互換性はなく、さまざまなフォーマットが乱立し、それを手動で変換したり、データを切り貼りしたりしてツールをつなぐ。つまり、人による手作業がデータ流通の間に入り、リアルタイムのデータ流通を妨げ、そこに誤りも混入する。製造現場には、Ｅｘｃｅｌの各種帳票が散らばり、だんだんと収拾がつかなくなったところで、Ｅｘｃｅｌマクロを組めるデジタル職人が現れなんとか運用を回す。これが製造業の実態であろう。実際、訪問したほぼすべてのメーカーのマネージャの方々は「まさにうちはこの状態です」と嘆いていた。

では、デジタル家内制手工業から脱却するにはどうしたらよいだろうか？　ものづくりに関わる情報を設計の基幹モデルである３Ｄモデルに集約し、それを全社に流通させ、各部門でそのデータに価値を付加し、徹底的に活用してはどうだろう。それが実現できれば「製造業ＤＸ×３Ｄ」と呼べる（図２－４の下部）。

統一フォーマットによる情報を部門間でやりとりし、部品表や工程情報などは部品番号をキーに自動で統合し、そこから後工程が見たい形式で情報を引き出せば、現場の求める情報を自動的に生成できる。普及価格になってきたＶＲ機材を使えば、実機がなくても３Ｄモデル上で検証も可能だ。そこから作業指示書を自動生成し、先進のＡＲ技術を使って、現物上で指示を確認する。このような世界がすでに実用段階にある。

「製造業ＤＸ×３Ｄ」を加速する３Ｄデジタルツインとは?

なかなか進まない製造業ＤＸ×３Ｄを成功させる方法として、最も成功の可能性があるとしたら、日本の強みをそのまま活かせるＤＸを実現することだろう。

デジタル家内制手工業の状態にある日本の強みとは、「現地現物による擦り合わせによる品質の造り込み」であり、「複雑な図面を読み解く高度な現場力」である。この強みを活かしつつ、デジタルで生産性を上げる方法はないだろうか? これを解決するために考え出したのが「３Ｄデジタルツイン」という考え方である。

現地現物と図面にあるすべての情報を表現する３Ｄモデルを構築し、現地現物と図面をそれによって置き換えてしまおうというコンセプトだ。ラティス・テクノロジーという会社はＸＶＬという３Ｄデータの軽量化技術を持つので、ＸＶＬに現物と図面の持つ情報を集約すれば３Ｄデジタルツインを実現できる（ＱＲ03）。

設計の３Ｄモデルを軽量化して、３Ｄデジタルツインにあらゆる情報を集約していく。アナログ製造業の根幹である現物と図面にある情報をすべてＸＶＬに集約して、組織間

QR03：製造業ＤＸ推進のカギを握る３Ｄ設計(5)
３Ｄデジタルツインを再考する

図2-5　現物と図面を置き換える3Dデジタルツイン

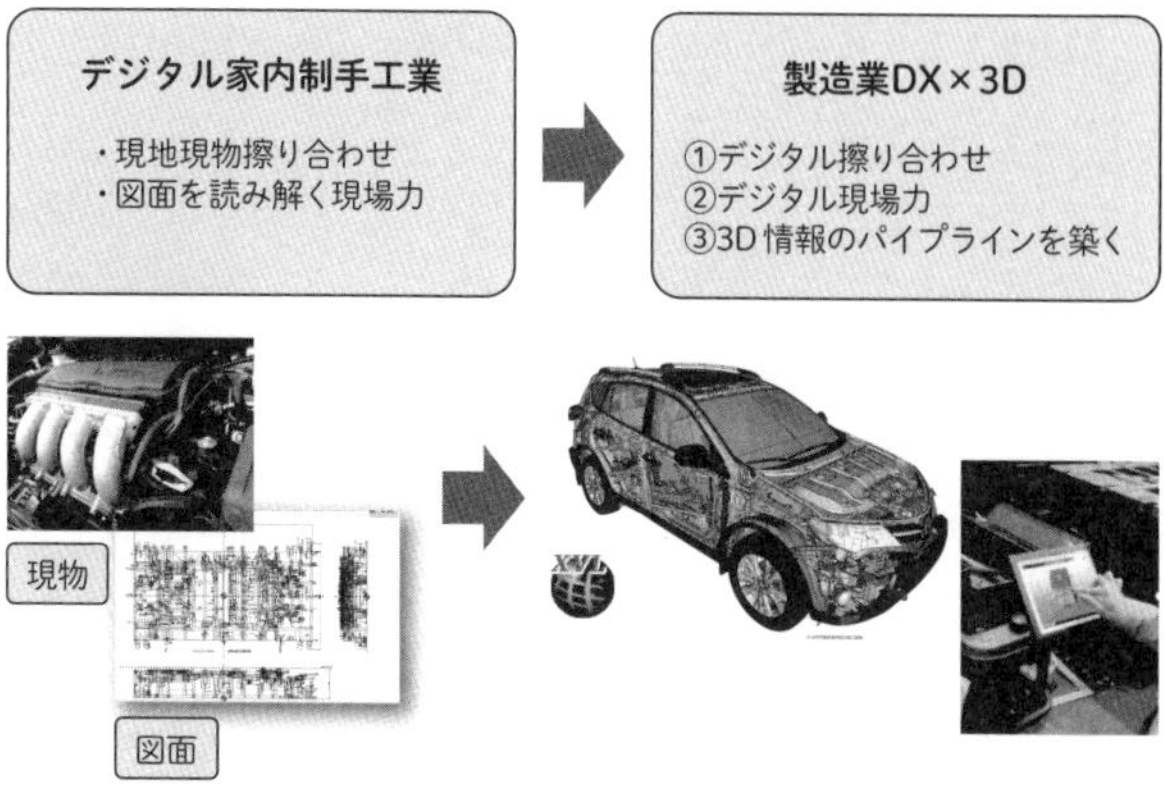

３Ｄデータ提供：トヨタ自動車

を流通させ、すでに存在する部品表情報や工程情報、属性情報を自動統合していけば、３Ｄデータの価値はどんどんと上がっていく。３Ｄモデルに動きのメカニズムを付ければ、動的な干渉チェックで設計検討可能だ（ＱＲ04）。

これまで膨大な手間をかけて作成していた作業指示書やＱＣ工程表、検査帳票は自動的に生成され、手作業により混入していた間違いもなくなり品質が向上する。３Ｄデジタルツインを利用して擦り合わせを行い、価値ある３Ｄ情報へアクセス可能にすることで現場力を引き出すのである。このような３Ｄデジタルツインの情報パイプラインを構築することで、

QR04：３Ｄデジタルツインの例
超簡単に思い通りに動く機構を実現する
ＸＶＬ～ＣＡＤは３Ｄモデルを作る、
ＸＶＬは動きを見せる

図2-6　3Dデジタルツイン情報の流通で実現する製造業のDX

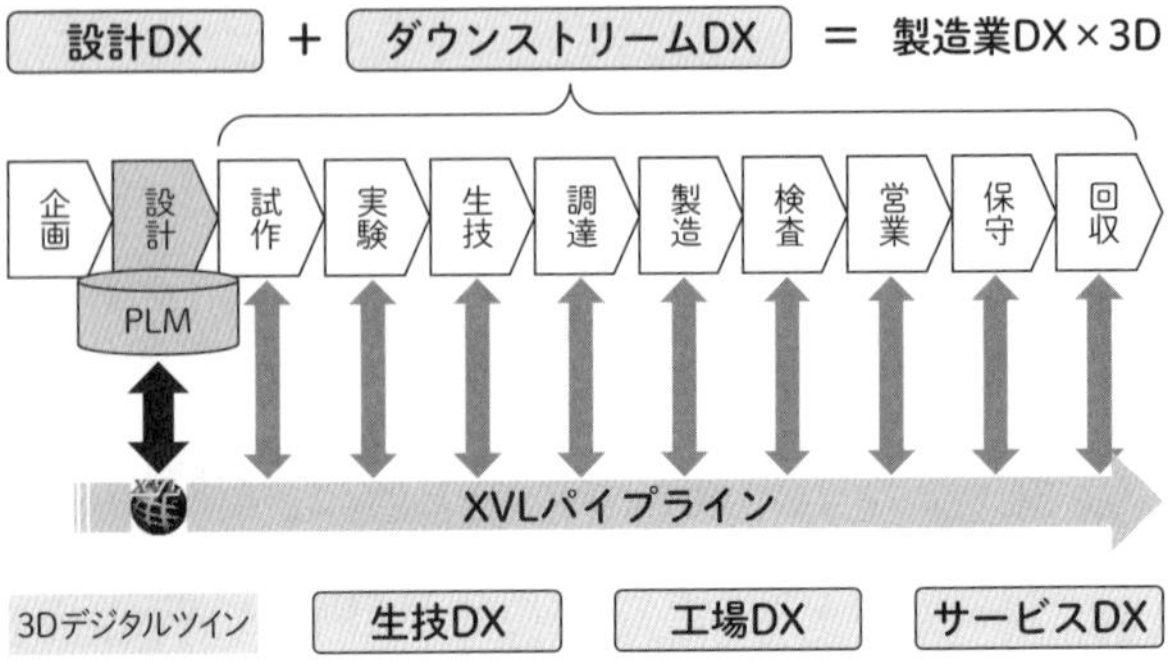

当社資料より作成

製造業ＤＸを実現していくことができる。

この３Ｄデジタルツインである ＸＶＬフォーマットが部門を超えて流通することで、生産技術のＤＸ（以下、生技ＤＸ）、工場のＤＸ、サービスのＤＸが実現できてくる。このデータの流れをＸＶＬパイプラインと呼んでいる。

データが部門を超えて流れると、それを共有するプロセスの並列化が進み、生産性が向上する。さらに情報流通の範囲を関連会社や顧客にまで広げれば、ビジネスモデルの変革が可能になる。つまり、設計のＤＸに加えダウンストリームのＤＸを実現することが可能になり、全社の製造業ＤＸ×３Ｄが完成していく。もちろん、現在の仕事の仕方を大きく変える製造業の変革には時間がかかる。しかし、すでに生技DX、工場DX、サービスDXの各分野で画期的な成功事例が続々と生まれているのも事実であり、そこに成功へのヒントがある。

劇的な人口減少にどう対抗すればよいのか?

かのアインシュタインが残した「複利は人類最大の発明である」という言葉がある。劇的に減っていく人口問題に対処するには、産業界がグローバルな分業を強化しながら、デジタルで生産性を上げていくしかないだろう。ものづくりの根幹である3Dデータ流通、それを組織を超えて実現していくことで、蓄積される3Dデータの量と価値を複利で増やしておく、これは製造業にとって強力な武器となる。

アインシュタインの言葉には続きがある。「知っている人は複利で稼ぎ、知らない人は利息を払う」。これはDXにも当てはまるだろう。DXのXはTransformation＝変革である。組織やプロセス、文化やビジネスモデルまで変革をすることである。もちろん、それには時間がかかる。しかし、先行する成功事例から学びいち早くDXに取り組めば、複利で生産性を上げ、複利で利益を拡大することが可能になるのである。

第3章

ドイツ発
Industrie4.0に学ぶ
製造業DX×3D

図3-1　ドイツvs日本

Julydfg-stock.adobe.com/jp

このところドイツとは縁を感じる。２０２２年11月にドイツ語圏のパートナー企業やユーザー企業を訪問、３Ｄ活用の現状と課題の議論をしてきた。その帰国直後には、サッカーワールドカップで日本がドイツに劇的な逆転勝利。滞在中に勝たなくてよかったと思ったものである。

最近のドイツは、ロシア産ガス供給減少への懸念によるエネルギー価格の高騰や新型コロナの影響でサプライチェーンが混乱し、物価も高騰。経済の見通しは冴えず、12月にはクーデター未遂事件が発覚するなど不穏な出来事もあった。それでも何か学ぶことはあるだろうと、帰りのルフトハンザ航空の中で読んだのが、『ドイツではそんなに働かない』（隅田貫著、角川新書、２０２１年）である。

ドイツから学ぶこと

当書は、労働時間が日本より年間３００時間短く生産性が１・４倍のドイツについて、その働き方を日本と比較しながら書いたものである。特に以下の３点が記憶に残っている。

① ドイツには「人生の半分は整理整頓である」という諺があり、整理整頓に時間を費やす。その結果、探し物が減るなどにより、生産性が上がる。

② ドイツは仕組みを作って定着させることを得意とする。たとえば、企業が従業員を解雇しやすくし、国は失業保険を減らす一方、職業訓練を推進、雇用あっせんを強化することで失業率を下げるというハルツ改革に２００２年から着手し、社会全体の生産性を上げた。

③ ドイツ人は「人は人、自分は自分」と割り切る。ただし、人へのリスペクト、つまり異なる考え方をする人に対し「そういう考え方もあるよね」と尊重する習慣がある。相手の意見に耳を傾け尊重し、相違点を明確にした上で互いの溝を埋め、落としどころを探るというディスカッションができる。

ものづくり変革を促すIndustrie4.0のコンセプトはドイツで生まれた。このIndustrie4.0が設計と製造に関する情報を整理し、産官学でシステムを整備し、製造現場でも利用できるように双方で議論を尽くしていくものだと考えると、これがなぜドイツで生まれたか合点がいく。

Industrie4.0を振り返る

２０２２年の秋、Industrie4.0と日本のあるべき姿をテーマにＦＡ業界の重鎮と対談をした（ＱＲ05）。

主役の一人は、三菱電機株式会社（以下、三菱電機）や三菱電機エンジニアリング株式会社（以下、三菱電機エンジニアリング）において、ＦＡ機器の開発設計を推進した元役員の尼崎新一氏。もう一人は、その三菱電機とラティスの双方の販売パートナーである技術商社の株式会社立花エレテック（以下、立花エレテック）の元専務、山口均氏である。

山口氏はＦＡ業界の黎明期からＮＣ装置やシーケンサ（三菱電機製のＰＬＣ）の販売

QR05：SPECIAL対談　日本流ＤＸの取り組み方
～ＥＣＭ軸の一気通貫を３Ｄ活用で実現する～

と普及に努め、さらに三菱電機のＦＡ機器販売から、システムとしてのＦＡソリューション販売へと舵を切った方である。

尼崎氏はＦＡ機器制御の中核を担うシーケンサの開発を主導し、その後、三菱電機のスマートファクトリーを実現するためe-F@ctoryをけん引、シーケンサのＡＰＩを公開するなどアライアンス戦略を推進していった。２０１１年、そこに現れたのがドイツの推進するIndustrie4.0であった。

今ではＤＸという言葉にすべて集約された感があるが、Industrie4.0とは何だったのか、お二人の話から総括してみよう。当時、ドイツを視察した尼崎氏は、アメリカのＧＡＦＡに代表されるＩＴ企業がデータをすべて吸い上げようとすること、また、中国の製造業が低コストを武器に世界進出を始めたことに、ドイツは強い警戒感を持っていたと指摘する。その解決策こそ官公庁が一体となったＥＣＭ（Engineering Chain Management）軸での一気通貫による効率化、Industrie4.0だったのである。そこで起きていたことを以下に総括しておく。

① Industrie4.0とは、設計・生産・販売・保守・サービスまでをECM軸での情報の一気通貫によって、事業のスピードアップを図るとともに、新しいビジネスモデルを生み出そうというコンセプトである。

② 実際にSAP社・Siemens社・Trumpf社・SICK社などのドイツ企業のソフトウェア・工作機械・FA機器・センサを活用すればECM軸一気通貫が実現でき、その仕組みを輸出しようとしていた。

③ Siemens社は自社にない技術やソフトウェア企業を次々に買収し、Industrie4.0のコンセプトを一気に実現していく。加えて、産官学で協調し、ドイツ全体で標準化を進め、自然に効率が上がっていく仕組みを作っていった。

いったい何が日本と異なるのか？

日本と比較して、国をあげての標準化はドイツの得意とするところである。そのあたりの違いを農耕民族と狩猟民族の違いだとお二人は喝破《かっぱ》する。

農耕民族の日本は自分の田畑に自分で種を蒔いて時間をかけて丹精込めて育てる。つまり、日本の製造業は自前主義に陥りやすい。各社各様で最適になるようライブラリ化を進めてしまうため、企業をまたいだ全体最適が進みにくくなる。たとえば、ＰＬＣにおいても主要メーカーである三菱電機、オムロン、キーエンスとそれぞれの規格が存在する。

一方、狩猟民族のドイツはお腹がすけば、他者と連携して狩りに出かけ獲物を仕留める。Industrie4.0でいえば、ＦＡ機器・配制機器・ケーブルなどの電機品データの標準化を進め、標準データベースにある電機品であれば、設計支援から受発注まで可能な仕組みを各社が連携して構築してしまう。

日本のＦＡ業界でも、多くのメーカーのデバイス間で交信できるCC-Link（ＱＲ06）の規格をオープン化したり、エッジコンピューティング領域のオープンなソフトウェアプラットフォームを実現するEdgecross（ＱＲ07）を設立したり、といった動きもあるが、標準化では欧州がさらにその先を行く。実は、このデータの標準化ができないことがＤＸを進める上でのボトルネックになる。汎用パッケージがあるにもかかわらず、自社に適したシステム構築をするユーザーが多いのも日本の特徴である。

QR06：CC-Link

QR07：Edgecross

では、なぜ日本では標準化が進まないのだろうか。尼崎氏は、国のリーダーシップと企業のスタンスの違いと指摘する。海外では政治家に理系出身も多く、技術的な事柄への知見・理解がある。一方、日本の官僚は文系出身が多く、技術への知見・理解が薄いのではないかという。

また、このためには、企業はＩＴリテラシーを高め、発想を変えていく必要があるだろう。

たとえば欧州では、プログラム容量が大きいＰＬＣを当たり前に購入し、それに関わる人件費を抑えようと発想する。一方、日本ではコスト低減のために容量の小さなＰＬＣを購入し、設計者はいかにプログラムサイズを小さくするかに明け暮れる。この間に、欧州の設計者はソフトウェアの標準化に知恵を絞ることができるというわけである。

日本の対抗策は？

日本は貴重な人材パワーをもっと大きな変化をもたらすことに使うべきと尼崎氏は指摘する。ドイツのIndustrie4.0に対抗する手段の一つが、ＥＣＭ軸での一気通貫を軽量

３Ｄ活用で実現することだというのである。なぜなら、日本の製造業はＩＴインフラにはあまり投資をしないため、性能の低いＰＣが多く、巨大な３Ｄ ＣＡＤデータの活用が進んでいないからだ。こういった日本の環境ではＥＣＭ軸を強化するには、３Ｄ ＣＡＤデータを軽量化するＸＶＬ技術が有効だ。

設計・生産・販売・保守・サービスといったＥＣＭ軸において、３ＤデータのＸＶＬを一気通貫させ活用することで、データ形式がＸＶＬに統合され、標準化できる。日本の貴重な人材はインフラ問題に悩まされずに、プロセス改革にまい進することができ、Industrie4.0にも対抗できるようになる。

実際、三菱電機・三菱電機エンジニアリングでは、名古屋事業所によるインバータ製品の設計・生産・販売・保守・サービスにおいてＸＶＬ活用によるＥＣＭ軸一気通貫での効率化に取り組んできた（ＱＲ08）。

まずＰＤＭにＸＶＬデータを登録し、超軽量なＸＶＬを関連部門から無償ビューワで参照できるようにした。この結果、高性能なＰＣを持たないサービス部門でも簡単に３Ｄ形状の確認ができるようになり、発注ミスの低減、修理業務の効率化に寄与している

QR08：設計３ＤデータのＥＣＭ／ＳＣＭプロセスでの一気通貫活用

図3-2　設計製造プロセスを貫く3Dデータのパイプライン

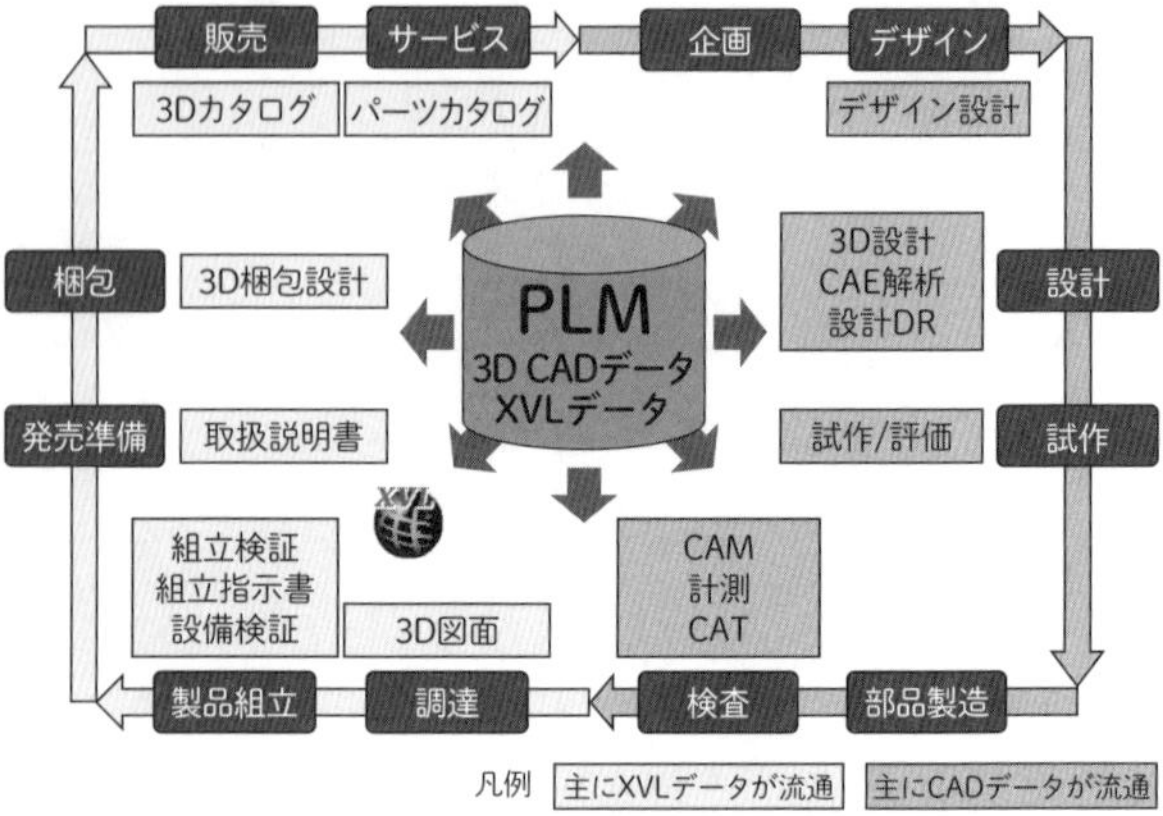

当社資料より作成

という。3D組立図や組立アニメーション、サービスパーツリストに至るまでECM軸に沿って、XVLの適用を始めている。

これを他の製品や業務領域にも適用していくと三菱電機エンジニアリングの主幹技師長である三田善郁氏は語る。たとえば、工場レイアウトや搬入出の検討に現場でスキャンした3D点群データを活用する、組立性の検証でのVR活用をする、といった適用拡大を計画している。

デジタル家内制手工業から製造業ＤＸ×３Ｄへ

三菱電機における設計３ＤデータのＥＣＭ／ＳＣＭ（Supply Chain Management）プロセスでの一気通貫活用を図３－２のように模式的に表現すれば、設計・試作・部品製造のフェーズではＣＡＤデータ、製品組立以降の検査・作業指示・サービスドキュメント作成のフェーズではＸＶＬデータが流通するイメージになる。

この一気通貫のデータ活用こそ、「デジタル家内制手工業」からの脱却を実現するための重要な打ち手となる。ＤＸ化の掛け声のもとで多様なデジタルツールを導入し、そこで生まれる多様なデータを変換するデジタル職人に依存する家内制手工業から脱却すること、それがIndustrie4.0に対抗できる日本の製造業ＤＸ×３Ｄを実現する上では大事だろう。

まず、流通データ形式を標準化し、蓄積したデータを共有し、誰もが参照可能にすること。次に、３Ｄ図面、組立図、作業指示書、サービスマニュアルなどその適用する範囲を増やし、適用する製品や業務を拡大していくことで、投資対効果は非常に大きなものになる。３Ｄ活用の質と量が上がれば、投資対効果の議論がムダに思えるような効果が出せるはずだと尼崎氏は指摘する。

実はこれが、全社一気通貫で３Ｄを活用して業務革新をするＸＶＬパイプライン構想そのものである。３Ｄの活用範囲が広がれば広がるほど、投資対効果がどんどん高まり、製造業ＤＸ×３Ｄが実現していく。この考え方は、３Ｄデータ活用という領域に特化すれば、ＥＣＭ軸での一気通貫というIndustrie4.0の考え方とも合致している。

一気通貫させるデータ形式を標準化しておけば、組織や企業を超えた連携も自然に可能になる。標準化能力が低いとされる日本において、事実上の標準化を進める適切な手段となるのである。たとえば、ＸＶＬで３Ｄ図面を表現することが可能だが、これは紙図面に代わって、企業を超えて流通するデータとなり、企業集団としての全体最適を実現する手段となりうる。（ＱＲ09）。

QR09：誰でも簡単にXVLで
3D図面を参照！

スタートは地道な成功の積み重ね

進んでいる方向が正しいとしたら、また、それを経営層が理解したとしたら、XVL活用ソリューションを順次適用して、地道に成功を積み重ねていくことも可能になる。たとえば、作業指示書では以下の手順が考えられる。

① 3Dデータを使ってデジタル作業指示書を作成してみて、アナログ手法よりも優れていることを確認する
② 国内工場にデジタル作業指示書を展開し、好評なら、適用製品を拡大する
③ さらなる効率化を目指して、製造（BOM：Bill of Materials）や製造手順（BOP：Bill of Process）を3Dとともに整備するためのプロセスとシステムを作る
④ CADでの設計変更に作業指示書が追従する仕組みを導入し、設変時の効率性も実現する
⑤ Web3D配信で作業指示のマルチブラウザ表示をし、さらに、多言語対応することで海外工場に展開する（QR10）
⑥ 同じ手順書をVRで確認し、作業教育にも利用する（QR11）

QR10：XVLによるサービスDX、Web3Dの活用

QR11：XVL情報をLIVEでご紹介|ものセミ2023アーカイブ

図3-3　作業指示書ツールから製造業DX×3Dへ

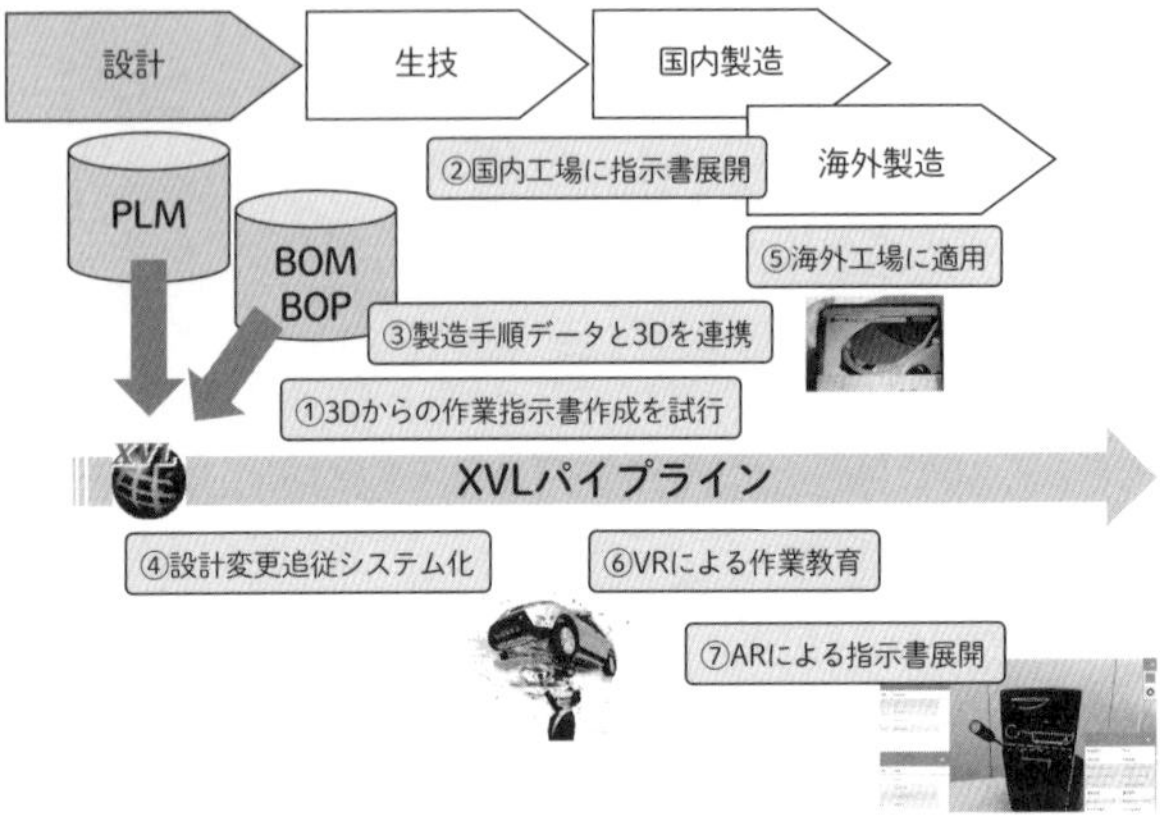

当社資料より作成

⑦　同じ手順書をARで現物上に映し、めったに製造しないものでも手順を間違えず、組み立てられるようにする

このように現場で小さな成功を積み重ねていくことでDXへの自信が生まれ、さらなる改善へとつながっていく。その成功をサービスや工場のDXにも拡大していくことで革新の範囲が拡大する。さらに、それが関係会社をまたいだ変革となり、製品の最終ユーザーまでもがデータでつながれば、ビジネスモデルを変革する究極のDXへと続いていくのである。

DXの起点はデータ活用であり、データ活用の適用領域をどんどんと高めることで製造業DX×3Dに至る。川上から川下まで一気通貫でデータを使えるよう、それらのデータをXVLで標準化しておけば、これが自然に実現されていく。

貴重な人材に挑戦を

対談で得た知見をまとめれば、「おもてなしという言葉に象徴される日本では、徹底的な顧客満足度の追求という国民性が個別最適を生み、ルール尊重という言葉に象徴されるドイツでは、徹底的な標準化志向という国民性が全体最適を生む」ということになるだろうか。

ワールドカップの後、サッカーの日独比較の記事を読んでいたら、パスやドリブルなどのテクニックでは、すでに日本人が上という話があった。ただし、残念ながらフィジカルとメンタルのレベルが異なるので、それが試合では活かせないのだという。しかし、2022年のワールドカップでは日本の選手は結果を残した。製造業でも、情報のパイプラインを築き、その情報を活用することで、さまざまな現場の力をデジタルで引き出し、ドイツに対抗したいものである。

『ドイツではそんなに働かない』には、日本人は同調と協調を取り違えている、優れた人は協調するが同調はしないという指摘もあった。協調とは力を合わせて事にあたること、同調とはある意見を持つ人と同じ行動をとることである。そして、日本では出る杭は打たれるが、ドイツでは出ない杭は評価されないということである。

これはサッカーの試合でも、DXでも同じかもしれない。日本でも貴重な人材をリーダーに据えてチームでDXを推進し、その過程で不満が出てもそこに同調することなく協調して、目標を達成したいものである。貴重な人材が大きな変革に挑戦してこそ、日本の未来は開かれてくるのではないか。

第 4 章

3Dデータ活用と集団脳

２０２２年4月に放映されたＮＨＫスペシャルの『ヒューマンエイジ　人間の時代』という番組の中で、同時代を生きた二つの人類、ネアンデルタール人とホモサピエンスのうち、なぜ、我々ホモサピエンスだけが生き残ったのかという謎に挑んでいた。ホモサピエンスの勝利を支えた原動力が、規模の大きな集団の知である集団脳と、それを支えるコミュニケーション力だという。

十数人で暮らすネアンデルタール人の持つ石器は10万年たっても進化しなかったのに対し、数百人単位で生活するホモサピエンスの石器は常に改良が行われたという。しかも、コミュニケーションの力でその改良は継承され、さらなるイノベーションにつながっていった。大変スケールの大きな話だが、これは、我々が直面するＤＸによる課題解決にもつながってくる話である。

図研のエレキCAD開発に見る集団脳

２０２２年3月に株式会社図研（以下、図研）の技術を統括するＣＴＯの仮屋和浩氏と対談し、図研という日本の会社がなぜ、エレキＣＡＤの分野で世界をリードする会社になれたのかという秘密を伺った（QR12）。

数十年前の開発当初はドローイング、いわばお絵描きソフトであった図研のCADが、ロジック設計を経て、EDA（Engineering Data Automation）へと進化していく。EDAでは、ロジックと物性をデジタルで表現することで、電気電子設計のためのデジタルツインを構築する。現物がなくてもCAD上でプリント基板設計の検証を可能にするという意味では、DXの重要な要素の一つである自動化の領域に入っている。

このエレキCADの進化のプロセスで面白いのが、1980〜90年代に隆盛を極めた日本の電機産業の発展を支えるように、図研のCAD技術が進化してきたという事実である。ユーザーである電機産業が、デジタル・アナログ混在製品からデジタルテレビやデジタルカメラといった本格的なデジタル化に対応していったことに同期して、アナログ回路全盛期にはドローイングソフトであったものが、デジタル回路時代になるにつれて自動化ソリューションに変貌していくわけである。

この後図研は海外の会社を買収し、その技術を吸収していく。同時に、海外ユーザーを獲得してそのニーズにも対応することで、システム設計を支援する水準までその技術

QR12：SPECIAL対談　日本の製造業に育まれた世界標準ソフトウェアの物語〜エレキを軸に、つなぎ、全体最適を実現する〜

を進化させている。グローバルに技術者とユーザーを巻き込みながら技術を進化させるプロセスは、まさに、ホモサピエンスが集団でコラボレーションをしながら進化していく様を彷彿させる。

このような集団脳の力を引き出し、コミュニケーション能力を高めることでイノベーションを継続するという視点で見たとき、本書のテーマである「製造業ＤＸ×３Ｄ」はどうなるだろうか。以下の３つの観点から紐解いてみたい。

① デジタル擦り合わせ
② デジタル現場力
③ 設計ＤＸからダウンストリームＤＸ

３Ｄ活用で実践するデジタル擦り合わせ

製造業では製品の開発や製造の基盤システムとしてＰＬＭ（Product Lifecycle Management：製品ライフサイクル管理）システムが導入されてきた。その中核にあるのが３Ｄ Ｃ

ＡＤであり、設計部門での３Ｄ設計が進んだことで、解析や加工などへの３Ｄ情報の活用は進んだ。これを全社、さらには企業を超えたレベルでの３Ｄ情報の共有と活用まで進められれば、もっともっと集団脳を利用することができるだろう。

実機の双子となるデジタル情報である３Ｄデジタルツイン、これを利用すれば、実機がなくても製造やサービス視点でデジタルに擦り合わせを実現することができる。たとえばＸＶＬ ＶＲにはＶＲ体験を遠隔地で共有する機能が提供されている（ＱＲ13）。国内外の拠点を結び、実機と同等の３Ｄデジタルツインを共有して、擦り合わせをすることが可能になっている。コロナ禍では出張できない状況もたびたびあったが、そのような環境でも、３Ｄによるデジタル擦り合わせは集団脳を利用した設計品質の向上を実現できる。

３Ｄ活用で実践するデジタル現場力

次にユーザーである製造業の方々と取り組んだ各業務分野における３Ｄ活用について

QR13：XVL VRで
出張レスコラボレーション

図4-1　製造構成と組立順序を持つXVL

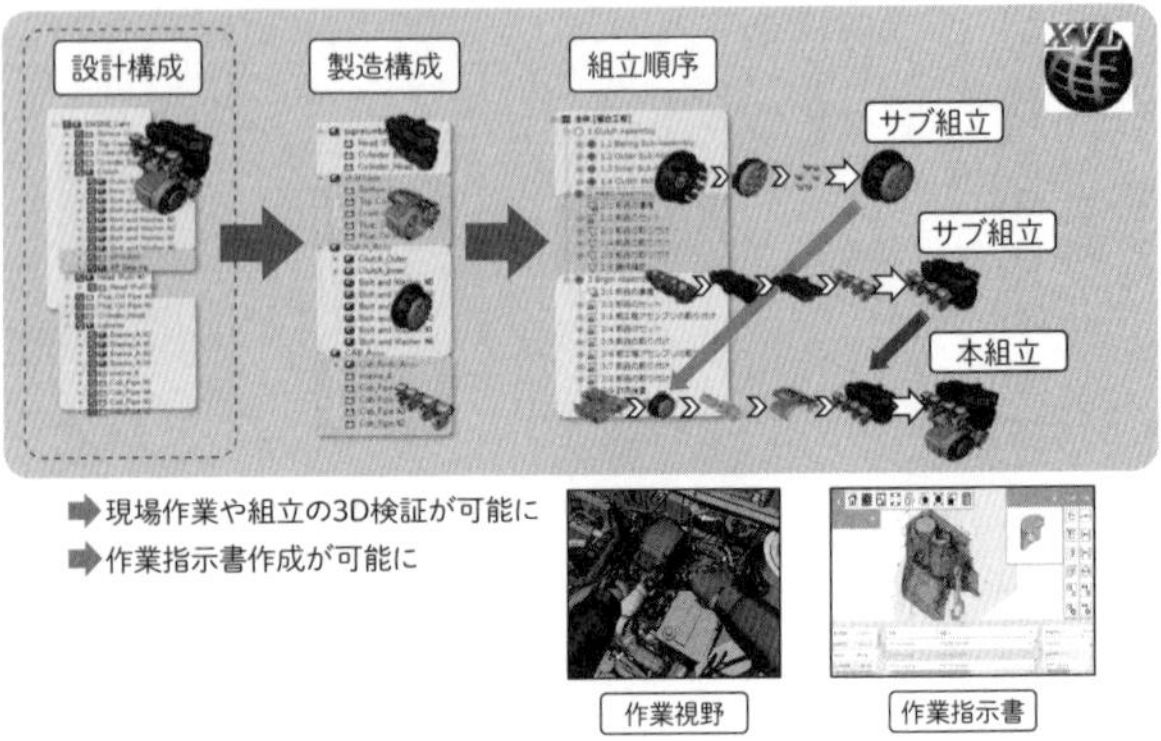

当社資料より作成

考えてみよう。

２０００年代に３Ｄ ＣＡＤが普及し始めた頃、ＣＡＤの複雑な３Ｄモデルを軽量ＸＶＬ化して製造現場に持っていくと、現場の方は、次に造る製品はこうなっているのかと喜んでくれた。しかしその後、業務には使ってもらえなかった。なぜなら、そのＣＡＤモデルを忠実に再現する３Ｄモデルは現場の方が見たいモデルではなかったからだ。現場の方は自分が担当する作業工程の３Ｄモデルを見たいのであって、製品全体を表現した３Ｄモデルを見たいわけではなかったのだ。

そこでＸＶＬモデルを拡張し、３Ｄデジタルツインの中に製造構成と組立順序を表現できるようにした。こうして、製品モデルとその組立方法をすべて表現できる３Ｄデジタルツインが完成していく。自分の担当する工程の状況が３Ｄモデルが目の前に現れ、その組立順序を３Ｄ表示することができるようになった。この瞬間、設計のものであった３Ｄモデルが現場のものとなり、現場で活用できる３Ｄモデルとなったわけである。こうして、製造視点で組立上の課題はないか、作業はしやすいかを３Ｄモデル上で検証できるようになった。

さらに、この３Ｄデジタルツインから作業指示書を自動生成することで、工場では３Ｄの作業指示書を参照して作業を進めることができるようになった。

現在では実に多くの現場でＸＶＬ作業指示書が利用されている。そこで利用者の方から指摘されたのは、画面と現物を見比べるのは手間だということである。複雑な指示になると、紙に印刷し、何度も何度も見比べないと理解できず、手間が大きいという。

そこで最近開発したのが、現場の現物の上にそのまま作業指示書を提示するＸＶＬＡＲソリューションである（ＱＲ14）。

QR14：XVL AR技術をご紹介

ビデオを見れば分かるように、現物の上に手順が表示されれば、不慣れな人も間違えない。現場の方とお話しすると、現物と情報を統合して、ものづくりの現場をこう変えたい、というあっと驚くようなアイデアが次から次に飛び出す。こうして現場の方々との集団脳で、現場の現場による現場のための3D活用手法が進化し、それがXVL ARソリューションとなって、さらに進化していく。さらに、このような3Dによるコミュニケーションによって先人が築き上げた熟練のものづくりの知恵を継承していくこともできる。

設計DXからダウンストリームDXへ

もともと、軽量3DフォーマットXVLの開発は、2000年代初頭のインターネット時代が本格化する中で「いつでも、どこでも、だれでも3D」というCasual3Dのコンセプトを実現しようと始まった（図4－2）。

3D CADは高価で操作も難しく、しかもデータが重い。したがって、後工程では紙図面や紙帳票が流通している。これらを誰もが分かりやすい軽量3Dモデルに置き換

図4-2　当初構想したCasual３Dの考え方

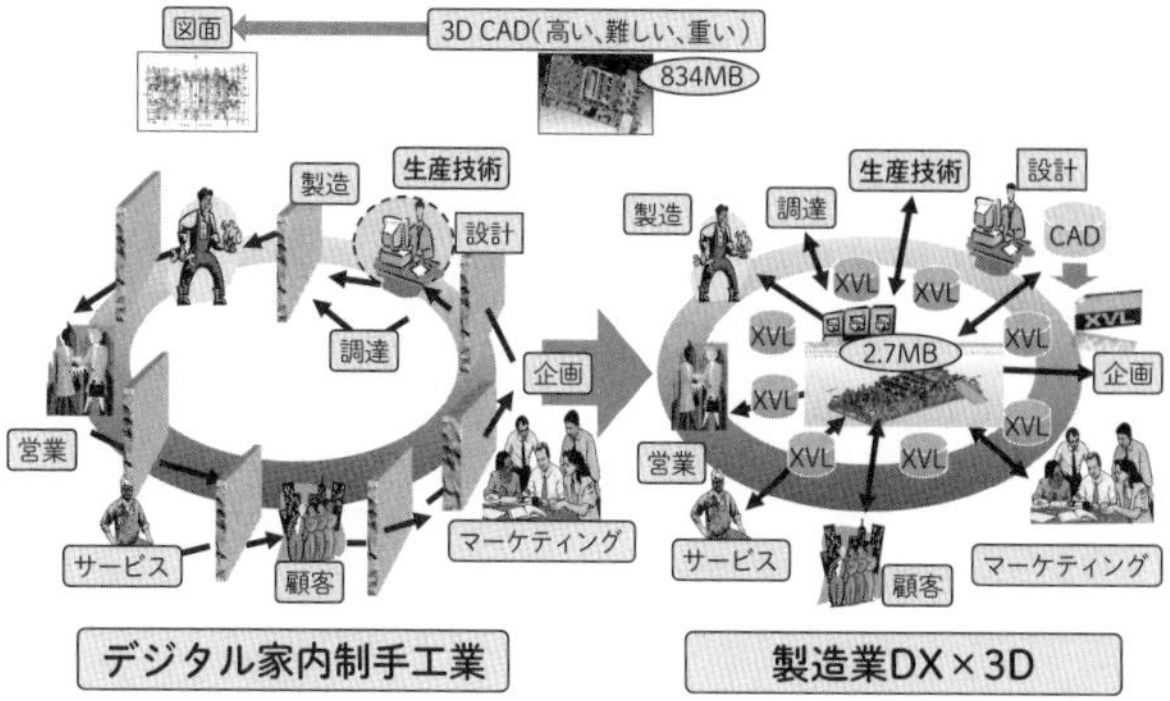

当社資料より作成

えてコミュニケーションの手段とすることで、組織の壁を越えて業務の並列化を進めようと考えたわけである。

しかし、第2章でも述べたように、あれから25年が経とうとしているのに、80％近くの会社でまだ紙が流通する状態である。本書では、データが組織の壁を越えられない状態をデジタル家内制手工業と呼んできた。

これに対して、組織の壁を取り払い組織間でデータを共有した状態はＤＸと呼べるだろう。つまり、製造プロセスを変えて、並列化させたプロセス間で情報を共有し、集団脳を活かした業務に変えようということである。

本書では、3Dデータを共有してプロセスを変革することを製造業DX×3Dと呼んできた。これは現在ではXVLパイプラインという考え方に進化している。つまり、製品と同等の3Dデジタルツインを設計部門で作成し、それで擦り合わせを行い、紙図面の代わりに3Dデジタルツインを流通させて現場力を引き出すというデータのパイプラインである。VRやAR技術で3Dモデルと現物を高度に融合させることで、日本の製造業の強みである現物ベースの擦り合わせ力や図面を読み解く現場力をデジタルで高めることができる。

トヨタのいうモノ情とは何か？

最近、トヨタ自動車では「モノ情を見える化せよ」ということがよくいわれる。これはどういう意味だろうか？

製造業の最終成果物はモノであるから、モノの流れは厳然と存在する。同様にモノの流れに対応する情報の流れがあるはずである。このモノと情報の流れを対比して見えるようにしたものをモノ情という。

両方の流れを見える化することで、情報とモノの間のギャップが見えるようになる。そこに気付きが生まれ、気付きがあれば考える。考えることで課題が見えて、あるべき姿が決まる。こうして、改善の積み重ねではなく、変革のゴールを描くことができる。

ところで、３Ｄデジタルツインはモノと情報の間に来るものである。だから、モノ情の両方の流れをＶＲやＡＲも駆使して３Ｄデジタルツインで表現できれば、それは大きな変革を生み出す武器となる。なぜなら、３Ｄデジタルツインにより情報流通を構想する過程で、現状プロセスの課題に気付くからである。

この結果、ＸＶＬパイプラインという３Ｄデジタルツインの流れを作るという考え方は、現状のプロセスの変革を迫る。そして、この変革を積み重ねることでＤＸが実現されていくのである。

米国発のUberやAirbnbのように、まっさらな状態でビジネスを創造してシステムを構築するのと異なり、日本の伝統的な製造業には長らく親しんだものづくり文化があ

図4-3　3Dデジタルツイン情報の流通で実現する製造業のDX

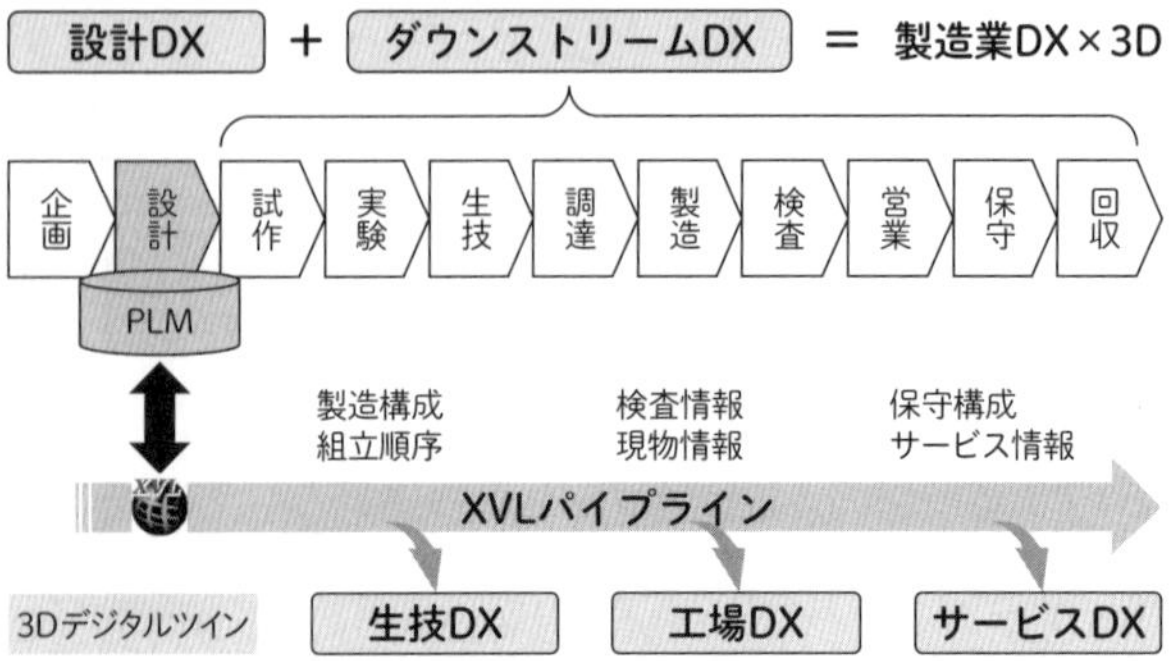

当社資料より作成

るため、それを一朝一夕に変えることは大きな困難が伴う。できるところから少しずつ3Dベースの仕事に変えていき、成功体験を積み重ねることで、徐々に3Dデータのパイプラインを完成させていく。これを繰り返すことで製造業DX×3Dを実現できないか、これがXVLパイプラインの根底にある考え方である。

幸い、PLMシステムの導入によって、設計部門での3D化とDXは多くの企業で進んできた。設計で作成された3Dデジタルツインに後工程の各部門が必要とするデータを加えていくことで、3Dデジタルツインのデータとしての付加価値を高めていく。これにより各現場でのデータ活用が加速し、ダウンストリームのＤＸが進む。ＤＸ×３Ｄが企業全体に浸透し、結果として、分かりやすい３Ｄデータを活用した集団脳によるイノベーションも生まれてくるだろう。

冒頭に紹介した番組の最後では、約２０００年前の古代ローマの都市、ポンペイが火山の大噴火で歴史からあっという間に消えていったことを紹介していた。何がこの消滅を決めたのだろうか。それは自らの力の過信だと番組は指摘する。長引くウクライナ侵攻における、ロシアの独裁者の過信にもつながる話だろう。今日は豊かで安心な社会であっても、必ず明日も続くわけではないし、それは企業も同じである。

かつて、日本のものづくり産業は、集団脳によるMade in Japan品質で一世を風靡した。デジタルが産業の基盤となった今、ＩＴを利用した集団脳の使い方が企業の優劣を決める。図面と実機を置き換えた３Ｄデジタルツインをものづくりに関わる全員で共有し、集団脳で課題に対峙すれば、新しい未来を切り開いていく可能性も高まるのではないだろうか。

第5章

トヨタ自動車が新PLMに望んだこと

新型コロナ第5波で感染者が急拡大していた2021年7月12日、政府は東京都に4回目の緊急事態を宣言した。東京五輪まで2週間を切っていた時期であり、五輪の開催期間がまるまる緊急事態宣言下という異例の事態となった。

その第5波が急速におさまったのはワクチン接種の貢献が極めて大きいだろう。政府によるワクチンの調達と従順な国民性によって12月末には接種率は約80%となり、世界トップクラスとなった。ワクチンによって生成される中和抗体とは、病原性を抑える作用のある抗体である。一度中和抗体ができれば、免疫の持つ記憶機能で重症化のリスクも軽減される。

しかしこの時期、ワクチン接種で先行した欧米では流行が再燃し、米国で1日当たりの新規感染者数が百万人を超えるなど世界ではオミクロン株の感染拡大が続いた。年末まで劇的に感染を低水準に抑えてきた衛生大国日本でも、2022年は第6波が懸念される不穏な年明けとなった。

2023年5月、新型コロナは「5類」に変わり、危険度の評価は下がったが、流行は続いている。経口薬が登場し、ワクチン接種も続いて、社会は新型コロナと共存する

図5-1　コロナ禍にWeb会議にて行われた3社会談

こととなって現在に至る。

新ＰＬＭの導入を決めたトヨタ自動車

このコロナ禍にあって、製造業のフロントランナーであるトヨタ自動車と、世界有数のＰＬＭベンダーであるDassault Systèmes（ダッソー・システムズ、以下、ダッソー社）は飽くなき挑戦を継続していた。この経緯は２０２１年９月に公開された対談の中で紹介されている（ＱＲ15）。

この対談では、トヨタシステムズ取締役（当時）の川添浩史氏とダッソー社のＥＮＯＶＩＡブランドのＣＥＯ（当時）であるStephane Declee氏が、ダッソー社のＰＬＭシステムである3DEXPERIENCEをトヨタ自動車がなぜ導入し、

QR15：SPECIAL対談
XVL on 3DEXPERIENCEが実現する製造業の
デジタルトランスフォーメーション

3DEXPERIENCEと超軽量3DフォーマットXVLを統合することに何を期待したのかが語られた。本章ではそのエッセンスを紹介する。

3DEXPERIENCEはPLM業界の雄、フランスのダッソー社の開発する設計、製造、サービス、マーケティングに至る協調した開発プロセスを支援するプラットフォームである。

これをいち早く導入したのが、100年に一度の大変革期にあるトヨタ自動車。自動車開発には多数の部門、ボディメーカーや部品サプライヤなど、物理的に離れた多くの関係者間でのコラボレーションが必須である。

3DEXPERIENCEを導入する最大の意義は、あたかも同じ場所で仕事をしているかのようなコラボレーションを実現すること。脱炭素社会が到来する中、開発期間の短縮という大きな競争力を得るために、トヨタ自動車は3DEXPERIENCEの導入を選択したという。

一方、トヨタ自動車グループにおいて3D軽量フォーマットXVLは生産技術や工場、サービス分野などの後工程を中心に幅広く利用されてきた。同社には、自動車全体の大容量3Dデータをサクサクと表示して検討したい、あるいは、現場の廉価なPCで3D表示したいというニーズが強くあったからである。

当然、XVLと3DEXPERIENCEを密連携することで、データの流通を迅速に、よりリアルタイムにしたいというニーズが出てくる。そこでラティスでは、ダッソー社との3年間に及ぶ共同開発を経て、XVL on 3DEXPERIENCE（以下、本システム）を製品化した。製造業DXを3Dで実現する上で、設計のPLMシステムとXVLとが連携することは最優先課題であり、本システムは製造業にとって大きな意味を持つ。

トヨタ自動車がXVL on 3DEXPERIENCEに期待した3つのこと

本システムを実装するにあたり、トヨタ自動車から要望されたことを3つにまとめておく。この3点はまさにXVL on 3DEXPERIENCEが実現した価値そのものとなった。この内容はビデオでも紹介されている（QR16）。

QR16：XVL on 3DEXPERIENCEが実現する
製造業のデジタルトランスフォーメーション

1）ＣＡＴＩＡとＸＶＬデータが等価的に扱えること
2）ＣＡＴＩＡデータの変更に追従してＸＶＬが生成されること
3）ＸＶＬソリューション群が3DEXPERIENCEと密に連携すること

以下にその詳細を記す。

1）3DEXPERIENCE上のネイティブデータとなったＸＶＬ

3DEXPERIENCEは当然のことながら、ダッソー社のＣＡＤであるCATIA V5と密連携、その設計データをコラボレーションに活用できるようになっている。

特筆すべきは、3DEXPERIENCEはオープンなプラットフォームであり、シームレスなデータの流れを実現する基盤を提供しているという点である。具体的には、ダッソー社のネイティブＣＡＤであるCATIA V5データと同等にＸＶＬデータを扱う、つまり、超軽量３ＤデータとしてのＸＶＬとＣＡＴＩＡデータを等価的に扱う仕組みを提供している。システムとして、ＣＡＴＩＡデータとＸＶＬデータが１対１に存在することを原理的に保証できるのである。

図5-2　XVL on 3DEXPERIENCE® では
CATIA と XVL データが等価的に扱える

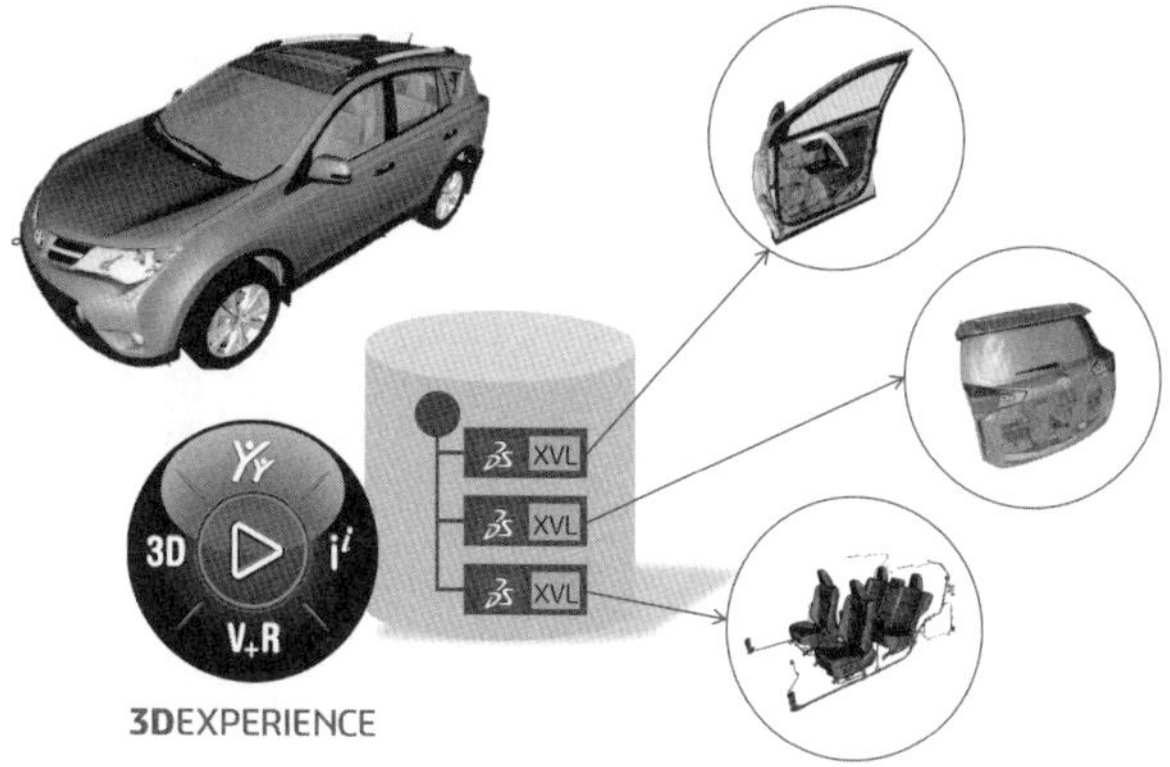

当社資料より作成

こうして、ＣＡＴＩＡで製品に対応する３Ｄデジタルツインの設計が完了する。つまり３Ｄ形状とアセンブリ構造の設計が完了すると同時に、それに対応する超軽量の３ＤデジタルツインがＸＶＬとして存在するようになる。その結果、設計完了後、すぐにＸＶＬを利用して、設計や生産技術、製造などの関係者が「デジタル擦り合わせ」をすることが可能になる。

ＸＶＬという超軽量３Ｄフォーマットが3DEXPERIENCEプラットフォームに搭載され、ダッソー社のフォーマットと同等にネイティブに扱えることが本システムの最大の特徴となる。

2）CATIAデータに追従して生成されるXVL

もう一つの特徴はXVL変換の柔軟性である。目指すべき理想の姿は、CATIAデータが生成されたと同時にXVLが生成され、設計や生産技術視点のレビューを直ちに開始することができるという姿である。

一方、高い精度でエンジニアリング検証を行うにはCADに近い曲面表現を持つ必要があるので、XVLでは曲面表現を採用している。このためCADからXVLの曲面変換には若干時間がかかっていた。これを解決するために、本システムでは可能な限り短時間でデータを追従させる仕組みを提供している。具体的には、3DEXPERIENCE内に存在するCATIAデータに関して、

① 定期的にXVL変換を実行する
② 今欲しいデータを直ちにXVL変換する
③ 変更のあったデータのみXVLを更新する

といった仕組みである。

これらの機能を組み合わせて運用することにより、ＣＡＤデータに追従して対応する３Ｄデータを活用することができるようになる。実機にそのまま対応するフルの３Ｄデジタルツインで、「今」レビューしたいというニーズが実現されつつある。

開発期間の短縮には、設計段階で生産技術や製造、サービスの視点でも３Ｄモデルをレビューし、これまで後工程で見つかってきた問題を早期に発見、解決しておくことが有効である。これによって、後工程になってからの手戻りが激減するからである。

ＣＡＴＩＡデータと１対１で対応するＸＶＬが存在し、３Ｄモデルが設計されるのに追従する形でＸＶＬが生成され、製品を構成するあらゆるアセンブリ単位で即座に誰もが３Ｄデジタルツインでレビューができる。このようなことがネットワーク越しに実現されたことで、関連部署やサプライヤの方々があたかも同席した状態で設計しているような状況を作り出すことができる。これを実現したのが本システムなのである。

３）3DEXPERIENCEと密連携するＸＶＬソフトウェア

組立工程を検証するためのデジタルモックアップ（トヨタ自動車ではデジタルアセン

ブリと呼ぶ）ソリューションのXVL Studioが手軽に利用できるようになった点も大きなメリットである（QR17）。

3DEXPERIENCEのWeb画面内の製品構成を確認しながら、確認したいアセンブリをドラッグ&ドロップするだけで即座にXVL Studioで3D表示ができるようになった。

CATIAと同じ作法でXVL Studioを利用できるので、ユーザーは自然に3D活用の範囲を広げることができる。煩わしいツールの切り替え作業を最小限にすることで、CATIAで設計、大規模データをXVLで確認、課題があればCATIAで修正するといった一連の作業もスムーズになる。設計者や生産技術担当者の思考を妨げることなく、デジタルなものづくりを支えていく環境を提供することが可能になった。

DXを支えるオンラインとオフラインの3Dコラボレーション

本システムで実現した3Dのコラボレーションにはオンラインとオフラインの2種

QR17：XVL 3次元ものづくり支援セミナー2013 講演レポート

図5-3　3Dデジタルツインを使ったVR検証

3Dデータ提供：トヨタ自動車

類がある。オンラインコラボとは、設計にリアルタイムに追従したコラボレーションのことで、周りの最新の設計状況を見ながら、担当する製品設計を進めていくことができる。これは3DEXPERIENCEで提供される機能である。一方、オフラインコラボとは、ある時点で設計３Ｄモデルを固定して、それを利用して設計や工程を検証したり、作業指示書などを作成したりすることである。

ＸＶＬソリューションはオフラインコラボを得意とする。グローバルな製造業は、グローバルなコラボレーションを必要とする。本システムの提供するオンラインとオフラインの二つの３Ｄコラボレーションによって、世界規模の協調作業を支援することができる。

XVLによる3Dデジタルツインとは、PLMシステムのある時点でのスナップショットである。XVLを利用した上流のデジタル擦り合わせで設計モデルの品質を造りこみ、出図以降はそのモデルで作業指示書やサービスマニュアルを作成しておく。さらに、XVL Web3D技術を使えば、3Dデジタルツインをタブレットやスマホに表示することで、サービス会社や顧客まで巻き込んだDXを3Dで実現することができる。もし設計の3Dモデルが更新されても、対応するXVLが即座に生成され、作成済みの作業指示者なども設計変更に追従させることができるので、作業がムダになることもない。

3Dデータ活用で製造業DXを加速する

健康な体を作るには血流をよくすることが重要である。血液が栄養も老廃物も運搬し、コリやむくみ、冷えや疲れも改善する。血液で例えると、オンラインコラボレーションとは心臓から動脈でつながった世界、オフラインコラボレーションとはその先の毛細血管でつながった世界と考えることもできる。PLMのスナップショットであるXVLは、

図5-4　XVLによるオフラインコラボレーションの例

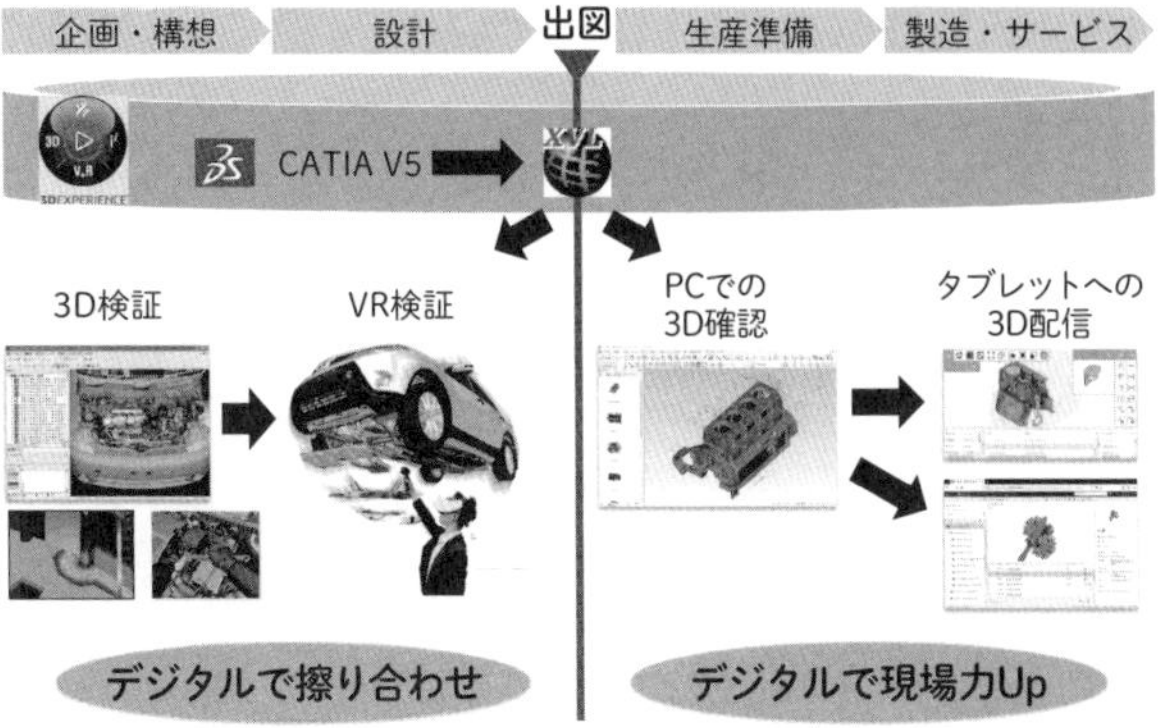

当社資料より作成

毛細血管の中を縦横無尽に流れ、栄養を各部門に届け、課題を返す役割を担う。XVL on 3DEXPERIENCEとは動脈から毛細血管への血流がよどみなく流れることを保証するシステムである。

血管が詰まって設計情報が下流に流れないとすれば、組織のどこかを流れる動脈が硬化しているのかもしれない。部門を超えたデータ流通と活用こそ、製造業ＤＸの本質である。つまり、設計情報という製造業の血液をいかにスムーズに流すかが製造業ＤＸ×３Ｄの本質となる。

XVL on 3DEXPERIENCEから生み出されるＸＶＬのように、設計データとしての正当性を引き継ぐ軽量３Ｄデータの流通と活用は、ＤＸを加速する大きな機会をもたらすことになるだろう。

第6章

ついに来たるか3D図面の時代

その昔、社会の授業でジェームズ・ワットが極めて効率の高い蒸気機関を発明し、イギリスで産業革命が起こり、工業化社会が到来したと学んだ。そのような画期的な発明であれば、一気に社会に普及したのだろうかと調べてみると、ワットが新たな蒸気機関を開発したのが1769年。しかし、特許の有効期間中は改良が進まず、性能が大幅アップしたのは1800年。その後、1807年に蒸気船がようやく実用化され、1830年に蒸気機関車が商用化されたという。

たとえ、画期的な発明であっても、社会に浸透するには何十年もかかる。とりわけ蒸気機関は石炭を必要とするが、それを運搬する船や鉄道が存在しない状況では、普及は難しい。一つ一つ課題を解決しながら、やがて、それまでの馬による輸送や水による動力を置き換えていったのだろう。

会社を超えた変革となる3D図面流通

普及するまで相当に時間のかかる気配を感じるのが3D図面である。紙図面の代わりに3Dでの図面が流通すれば、その嬉しさは明確だ。設計では作図の時間が不要になり、後工程には正確な寸法指示が３Ｄで伝わる。情報流通の速度も格段に向上する。加工や検査情報をものづくりに直接活用できるし、ものづくりに必要な帳票類も３Ｄ図面からダイレクトに出力できるようになる。

このようにメリットの多い３Ｄ図面に関し、ＪＡＭＡ（日本自動車工業会）が検討を始めたのが２００３年である。それから20年かけて、３Ｄ図面の書き方やそれをドキュメント化し活用するための標準化は進んできた。しかし、実際に全面的に運用して大きな成果を上げているという話はあまり聞かない。

では、なぜ３Ｄ図面の普及は進まないのだろうか。

多くの企業では、３Ｄ設計をした後に図面を作成し、それをサプライヤに渡し、サプライヤはその図面に従って部品を製造し納品する、といった慣れ親しんだ仕事を長年続けている。社内のＤＸさえ難しいのに、関係する会社までが何百何千にもなるプロセスを変えるのは困難だ。また、検査や品質担保上、重要となる寸法や公差が３Ｄモデル上に定義されることは少なく、多くの場合、図面にしか記載されていない。このために依然として、図面が情報伝達の手段となっている。

図6-1　PMI情報の表示された3Dモデルの例

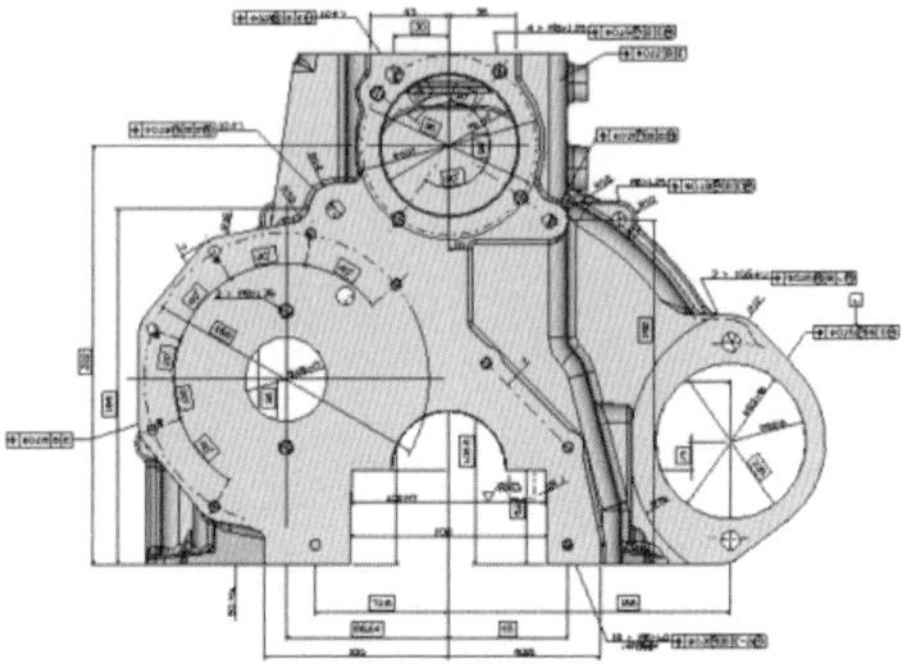

当社資料より作成

ある金型工場では、ＦＡＸで届いた紙図面をそのまま加工現場に持ち込み、そこに測定結果を記入し、そのままＦＡＸで送り返すといった仕事の仕方をしていた。汚れた手ではパソコンを触りたくないし、この方法が最も効率的であるという。

このままでは、上流で３Ｄ図面を流しても、どこかで紙図面にするという作業が残ってしまいそうだ。これを変革していくという意味で、３Ｄ図面は工場ＤＸのキーとなる要素と位置づけられる。

進んできた3D図面の標準化活動

一方、技術的には新たな動きもある。３Ｄ

図面の標準化活動の結果、公差や注記といったＰＭＩ（Product Manufacturing Information：製品製造情報）の表記方法が固まり、３ＤＣＡＤで入力し、それを軽量なＸＶＬで流通させるといったことが実現されてきた。

ＰＭＩ情報には、注記や寸法に加え、幾何公差がある。幾何公差には、基準に対してどの程度平行であるかを示す平行度、幾何学的に正しい平面からのずれを示す平面度などがある。こういったＰＭＩ情報を３Ｄモデル上で定義していこうという考え方がＭＢＤ（Model Based Definition）である。

図６－１にＰＭＩ付きの３Ｄモデルの例を示す。３Ｄモデル上にＰＭＩを記載したモデルは、図面の代わりになるだけでなく、製品のライフサイクル全体で利用できるものになる。これは、まさに３Ｄデジタルツインによるデータ流通と活用を提唱するＸＶＬパイプラインのコンセプトと全く同じだ。

ＰＭＩはグラフィックからセマンティックへと進化

３Ｄ図面上のＰＭＩには見るだけのグラフィックＰＭＩと活用範囲の広がるセマン

図6-2　グラフィックPMIとセマンティックPMIは何が違うのか？

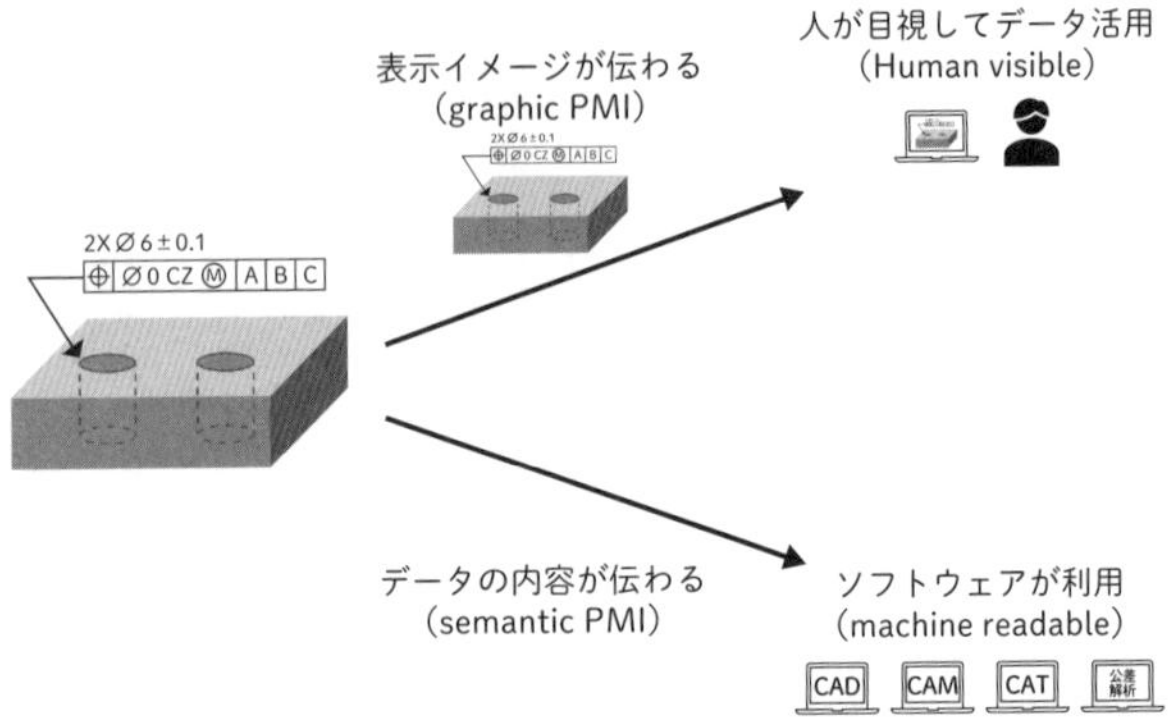

資料提供：株式会社エリジオン

ティックＰＭＩの２種類がある（図６－２）。もともと図面は人が見て判断していたものであり、〝ヒューマンビジブル〟なグラフィックＰＭＩが先行して利用されてきた。しかし、ＤＸの時代を迎え、後工程での自動化を見据えると、ソフトによる自動処理が可能で〝マシンリーダブル〟なセマンティックＰＭＩが注目されるようになった。見た目は全く同じＰＭＩだが、人が見て判断するのか、ソフトで自動処理するのかで、その後の活用の幅が大きく異なってくる。このあたりの話は株式会社エリジオン（以下、エリジオン）のＣＴＯ（現社長）である相馬淳人氏との対談に詳しい（ＱＲ18）。

QR18：SPECIAL対談　3DをDXに活かす(2)
セマンティックPMI実現への道しるべ

では、セマンティックＰＭＩで何ができるようになるのだろうか？

セマンティックＰＭＩは、３Ｄモデルと対比させながらＰＭＩを表示できる。たとえば、どのＰＭＩが仕上げ記号かを認識できるので、仕上げ記号だけを表示できる。したがって、人がとても理解しやすい形で情報伝達ができる。さらに、セマンティックＰＭＩはソフトが自動的に認識できるので、仕上げ記号だけを取り出して、加工指示書を作成することが可能になる。

特に効果を発揮するのが検査領域で、検査指示書を自動で作成できるようになる。将来的には公差を元に自動検査し、検査結果をデータとして分析し、品質改善に役立てるといった活用が進むだろう。

3D図面を体験してみる

２０２３年には主要な３Ｄ　ＣＡＤからセマンティックＰＭＩを含めてＸＶＬ変換することが可能になっている。並行して３Ｄ図面を表示する無償ビューワも公開になった。全く新しい技術は体験してみないと、それがどういうものか、いかに利用できるかに

図6-3　PMI情報の表示された3Dモデルの例

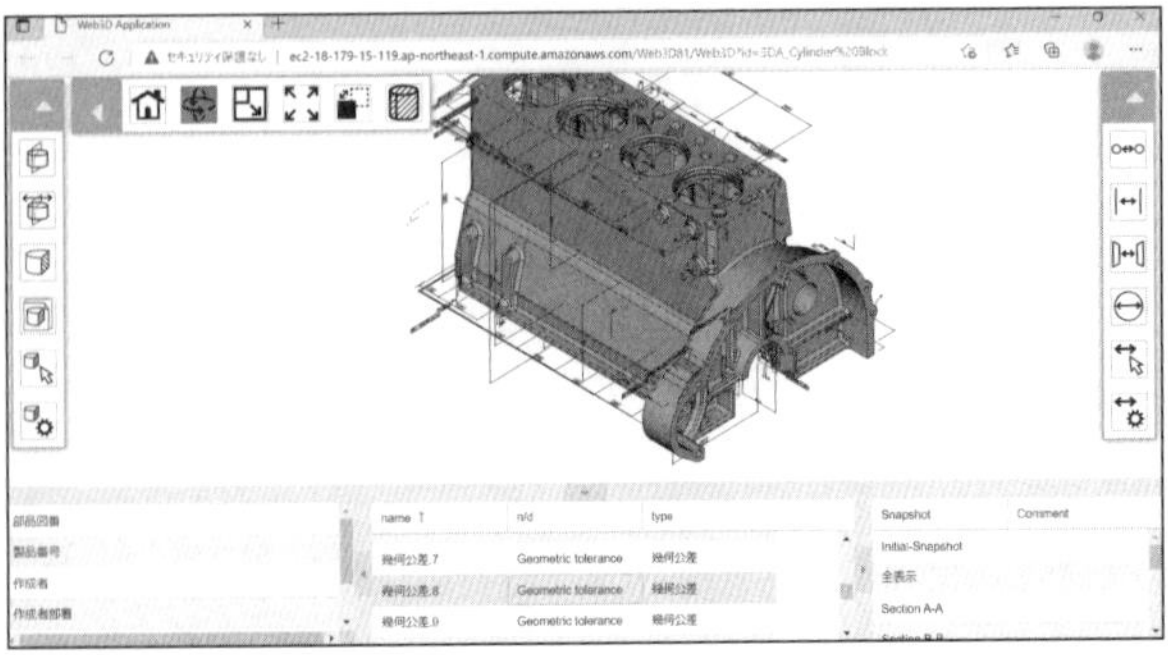

当社資料より作成

想像が及ばない。そこで、3D製品図の実際を無償ビューワで体験できるようにもした（QR19・20）。

中央下部の幾何公差や寸法をクリックすれば、それが3Dモデル上のどこに当たるかを確認することができる。右側下部の正面図、側面図をクリックすれば、それに対応する図を見ることができる。3D図面が流通すれば、図面作成コストを減らし、紙よりも的確に情報を早く伝えることが可能になることが分かるだろう。

さらなる進化を遂げる3D図面

これからの普及に向けては、まだまだセマンティックPMIも進化していく必要がある。た

QR19：誰でも簡単にXVLで3D図面を参照！

QR20：PMI情報が表示されたサンプル3Dモデル

とえば、幾何公差の記載方法は現在も発展途上であり、それを誰がどこで入力するのがベストかといった議論も各社でなされている段階である。

また、セマンティックPMIの入った3D図面を作成したとして、ITスキルが千差万別のサプライヤにすぐに展開できるのかといった課題もある。サプライヤに十分なメリットがないと普及は難しい。JEITA（電子情報技術産業協会）でも、利用するPMIの数を制限して、運用に乗せようといった議論がされているという。

また、JAMA/JAPIA（日本自動車部品工業会）では、3D図面普及のためのガイドラインを更新し、3DAモデルガイドラインV2・0として、2022年2月に公開している。3DAとは3D Annotated Models、つまり3D図面のことである。本格的な普及には、業界業種ごとに最適解を見つけていく必要がある。

さて、3D図面とは3D形状に加え、寸法・公差・注記といったPMI情報、モデルの仕様や管理情報などの後工程に必要な設計情報を完全に表現できるデータセットのことであった。この3D図面はものづくりの各プロセスで必要となるドキュメントの作成にも活用できる。これはDTPD（Digital Technical Product Documentation：デジタル製品技術文書情報）とも呼ばれる。たとえば、製造や検査の指示書のことであり、まさにXVLから生成できるドキュメント類である。今後、セマンティックPMIを含んだ3D図面がXVLで流通してくれれば、より質の高い技術文書を自動生成できるようになるだろう。こうして、3D図面ベースの仕事の仕方は製造業DXを加速するはずである。

「攻めた失敗」で成功への道を切り開く

ヒトとモノが関わる製造業のDXを進めていくには時間がかかる。これは、セマンティックPMIの普及にも当てはまりそうだ。

ここで思い出すのが米国GEのIoTプラットフォームPredixの話である。伝説の経営者といわれたジャック・ウェルチを継いだジェフリー・イメルトが注力したのがGEのデジタル変革であった。社内のIoTのための情報基盤を汎用化し、IoTプラットフォームPredixとして展開した。それを担う会社としてGEデジタルを設立、一気にGEをデジタル・イノベーションの会社に変えようとした。

しかしその後、Predixは失速していく。その経緯は、『世界「失敗」製品図鑑』（荒木博行著、日経BP社、2021年）に取り上げられている。

GEは多くのノウハウ、たとえばエンジンのデータを収集し、航空機会社に最適な運航方法をコンサルするといった実績のある技術蓄積を持っており、しかも、多数の優秀なエンジニアが在籍し、シリコンバレースタイルのスピード経営をしていた。それにもかかわらず、Predixは失敗した。なぜだろうか？　それは、対象となる産業用機器が業界業種ごとに異なり、もともと社内システムだったPredixがそれに対応しきれなかったこと、IoTプラットフォームが時代の先を行き過ぎ、ユーザーたる製造業がついてこられなかったことにあるという。

では、GEは失敗したといえるのだろうか。先の書籍には「攻めた失敗」が成功への近道だとある。GEは少なくとも自社製品に対しては、IoTでデジタル変革する能力を身に付けたことだろう。それは航空機事業に加え、今後の主力事業となるエネルギーや電力制御事業にとって大きな力になるはずだ。

製造業DXにおいても攻めの挑戦が必要だろう。そしてそれは、まさに3D図面への取り組みにも当てはまる。新しい技術は体験してみないとその真価は分からない。3D図面というデータで情報が渡ってくれば、それを活用する幅は紙図面と比べて格段に広がるはずだ。そろそろ「トップダウンで3D図面というDXの指針を示し、DX推進リーダーが新たなプロセスを作り上げ、優れた現場に3D図面を渡す」という時期にきている。かつてQCサークルで世界に冠たるMade in Japan品質を実現したように、日本の現場が再び大きな生産性の革新を実現してくれるのではないか。3D図面はそのような可能性を秘めている。

第7章

米国大手防衛産業に学ぶ生技DXの神髄

2014年のドキュメンタリー映画に『The Man Who Saved the World』がある。映画では、1983年9月、米ソ冷戦の緊張が極限に達しようという頃、事件は起きる。ソ連の監視衛星が警報メッセージを発した。米国がミサイルを発射したというメッセージである。スクリーンには最初の1発に続き、4発のミサイルが発射されたというメッセージが出る。これを見た責任者、空軍将校スタニスラフ・ペトロフは厳しい判断を迫られる。発射されたミサイルがソ連に向かっているかもしれない。だが、この情報をそのまま上層部に伝えれば、世界を破滅に追い込む核戦争が始まることになるかもしれない……。

作業指示書作成を自動化するのに必須の6要素

組立型の製造業にとって作業指示書は現場へ手順を正確に伝えるものとしてなくてはならないものである。特に多品種少量生産の場合、稀にしか組立をしない製品では、その手順が明確なことが生産性を上げるためには必須である。ベテランでもうろ覚えのまま組み立てて品質問題となったといった話も伝え聞く。これまでは、3D CADのデータが2D図面化されたものを切り貼りして、あるいは現物を撮った写真を切り貼りして、といった手作業で作業指示書を作成している企業がほとんどであった。

しかし、設計部署で現物を置き換えた3Dデジタルツインができているのであれば、それを利用して3Dの作業指示書を作成することは、生産性向上に大きく貢献する。しかも、完成した3D指示書は直感的に理解しやすいので、グローバルな生産拠点でも即座に活用が可能だ。作業指示書作成から展開プロセスの変革は、生技DXを成功させるための重要なファクターである。

2021年の7月に米国の軍事産業を支える大手防衛メーカーでバーチャル・プロトタイピングのマネージャを務めるMarc O'Brien氏を招き、同社で進める生技DXの一つ、作業指示書の3D化の話を伺った。

巨大な3Dデータを扱う同社は、実は古くからのXVLユーザーだ。2021年、同社では作業指示書の作成・配信・維持のためのコストと工数、納期を劇的に削減するために、作業指示書を自動的に生成するAWIG（Automatic Work Instruction Generation）というシステムをXVLベースで試行した。その結果、XVLによる作業

図7-1　米国大手防衛メーカーにおける
AWIG実現のキーとなる6つの要素

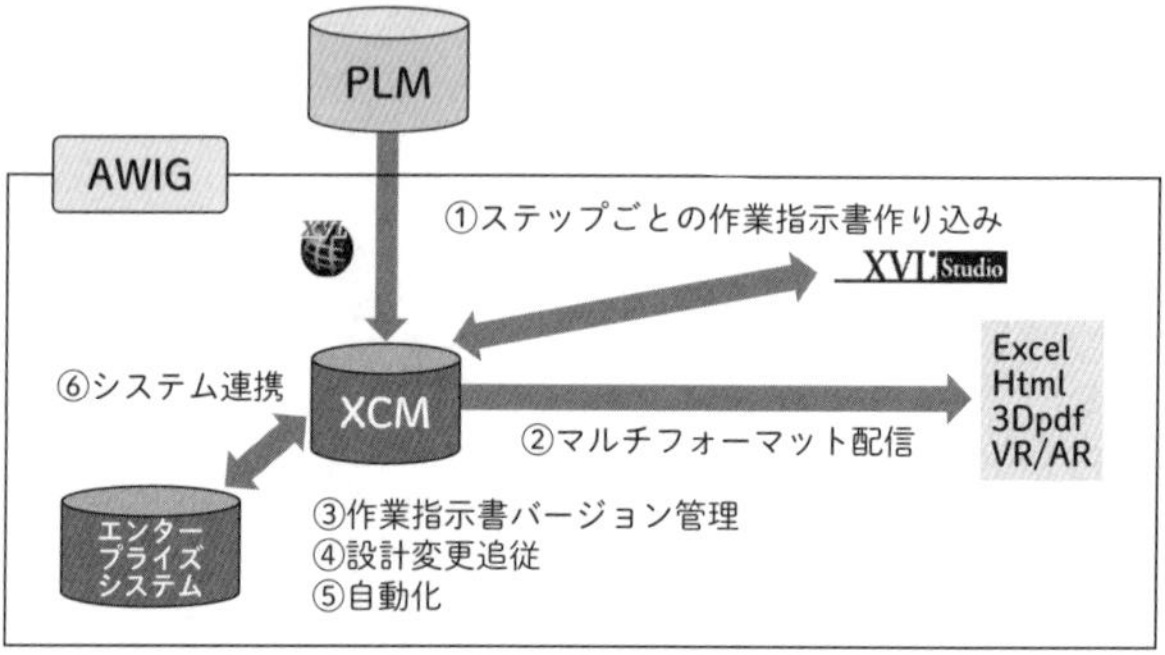

当社資料より作成

指示書ソリューションを高く評価し、あるべきシステム像を明確にしている。その知見は、これから製造現場の作業指示書プロセスを刷新しようという方々には貴重なものになるだろう。特にO'Brien氏はAWIGでの試行の経験から、作業指示書の自動作成システムの理想を実現する上で必須となる6つの要素を示した（図7－1）。

①　既存プロセスから3Dベースのプロセスへと自然に移行できるよう、ステップごとに作業指示書を作り込んでいくこと

②　多様なニーズに対応できるよう、多様なフォーマットで作業指示書が配信で

きること

③　変更にも追従できるよう、作業指示書のバージョンを管理できること

④　設計変更により３Ｄ形状や製品構成が変わっても、作業指示書が追従できること

⑤　ＣＡＤデータからの変換、設計履歴管理、作業指示書配信などの一連のプロセスができる限り自動化されていること

⑥　企業内の各種システムと連携できること

自然に3Dへの移行を促し、結果はマルチフォーマットで配信する

結果的にO'Brien氏はＸＶＬによる作業指示書ソリューションを高く評価した。前記の各要素がどう実現されているのかを説明していくことで、その理由を明らかにしていこう。

第１の要素がステップごとに作業指示書を作り込んでいくということである。これはまさにＸＶＬによる作業指示書ソリューションで実現してきたことそのものである。まず、ＸＶＬ ＶＲ等を利用して３Ｄモデルの構造、組立順序の正しさ、作業のしやすさ

を検討しながら、課題を設計にフィードバックする。こうすることで品質の高い３ＤモデルがＣＡＤにより作り込まれていく。こうして完成した３Ｄデジタルツインに、製造構成や組立順序の情報を追加する。ＸＶＬ上で編集することもできるし、外部にデータがあれば、それを読み込むこともできる。最後に作業指示に必要な情報をＸＶＬモデルに付加していく。

　こうした方法をとれば、すべてが切り貼り作業となる２Ｄ作業指示書作成のプロセスを自然に３Ｄベースのプロセスに置き換えていくことができる。慣れるに従って、３Ｄベースの作成効率はどんどん上がっていく（ＱＲ21）。

　第２の要素が多様なフォーマットで配信できることである。目指す姿は３Ｄデータで作業指示書を作り、それをネット配信でタブレットに表示させ、ペーパーレスを実現することだろう。しかし、現場の現実は紙の作業指示書を使っているという企業がほとんどだ。過渡期には、最終アウトプットが紙でも２Ｄでも３Ｄでもよいようにシステムを構築していく必要がある。

QR21：XVLを利用した作業指示書作成

図7-2　3D作業指示書の作成と現場への配信

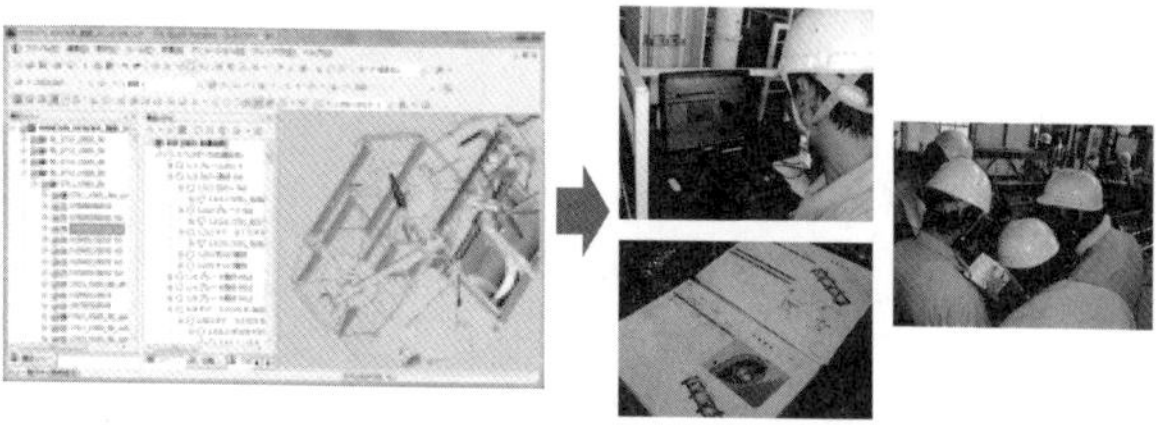

3D作業指示書の作成
（製造部品表や組立順序の設定）

3D作業指示書の配信
（タブレット、紙）

出典：三菱マヒンドラ農機

作業指示書への３Ｄ活用に関しては、日本にも先行メーカーがある。それが三菱マヒンドラ農機株式会社（以下、三菱マヒンドラ、２０１５年に三菱農機から社名変更）である。

実際に２０１４年、同社で実現した作業指示書システムにおいてもＰＣやタブレット、紙での運用を検証し、社内評価を得ることができた。一方、デジタルのみでの運用にはまだまだ課題もあった。現在、ＰＬＭの推進責任者である同社の河本雅史氏は「ＢＯＭと３Ｄを連携させることで、さらなる３Ｄ活用に挑戦したい」という。これこそ、３Ｄデジタルツインの流れを作ることでＤＸを実現する取り組みとなるだろう（ＱＲ22）。

ＸＶＬには、作業指示書をＰＤＦ形式でもＥｘｃｅ

QR22：グローバル生産を支える作業指示書（中）
―三菱農機の事例―

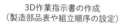

l形式でもＷｅｂ形式でも配信できる仕組みがある。形式ごとに作業指示書を作成していては、手間が増えて大変なことになるが、ＸＶＬという統合フォーマットの中にすべての情報が含まれているので、どの形式であっても作業指示書を自動的に生成することができる。ＸＶＬはＡＲ表示もできるので、現場で実機上に作業指示書を表示できる。

このような利用方法は、３Ｄデータを徹底的に活用しようというＸＶＬパイプラインというコンセプトで実現してきたことそのものである（図７－３・ＱＲ23）。

コンテンツ管理、自動化、エンタープライズシステム統合がキー

第３の要素が作業指示書をＸＶＬから生成されたコンテンツと見たときの資産管理である。どの３Ｄ ＣＡＤデータから作成した作業指示書なのか、バージョンも含めてしっかり管理しておかないと、設計変更に追従するのは難しい。多様な製品に対する多様な指示書を長期間にわたって管理しようとすれば、当然必要となる機能である。

第４の要素は、設計変更への追従である。設計変更があった場合、それを正しく認識し、最小限の手間で作業指示書を更新できることは運用の手間を考えると必須である。

QR23：Web3Dの作業指示書サンプルデータ

図7-3　XVLで実現してきた
マルチフォーマットによる作業指示書配信

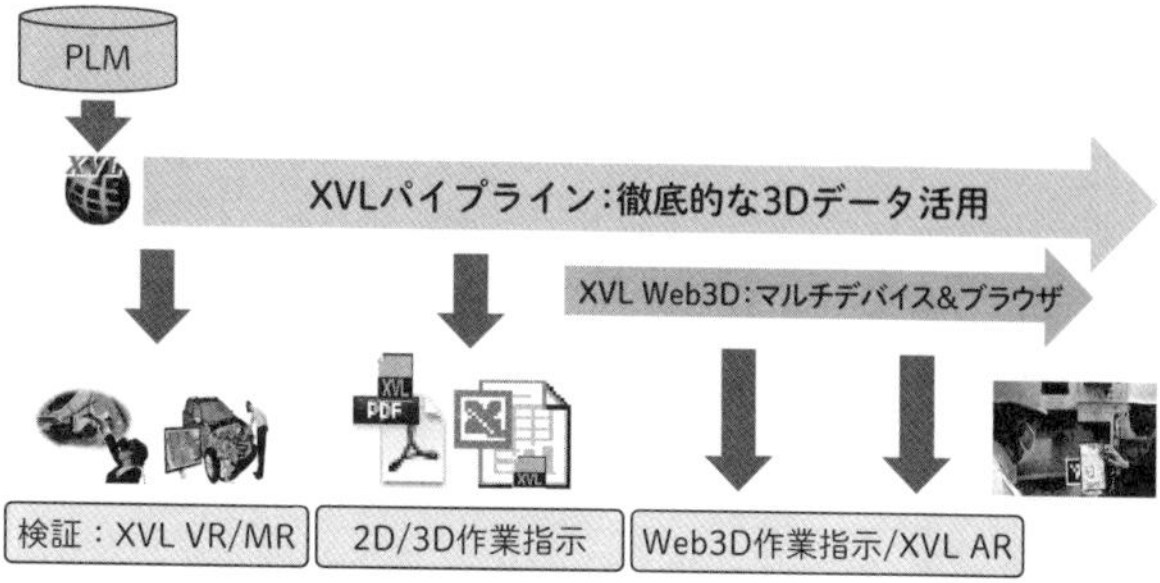

当社資料より作成

これらの要件を満足するために開発されたのが図７－４に示すXVL Content Manager（XCM）である。どのCADデータからXVLデータが生成されたのか、どのXVLからどの作業指示書が生成されたのかを管理することで、設計変更に追従して作業指示書の更新を行い、正しい設計データの情報流通を実現した。実際、同社のAWIGの試行の中でもXCMを利用し、その有効性を確認している。現場での定着を見据えた作業指示書の自動生成システムを考えたとき、配信される作業指示書データの正当性を常時保証することは極めて重要である。

第５の要素は、作業指示書の作成と流通にかかわる工数を最小化するための自動化である。

図7-4　正しい設計情報流通を実現する
XCMで実現した3つのこと

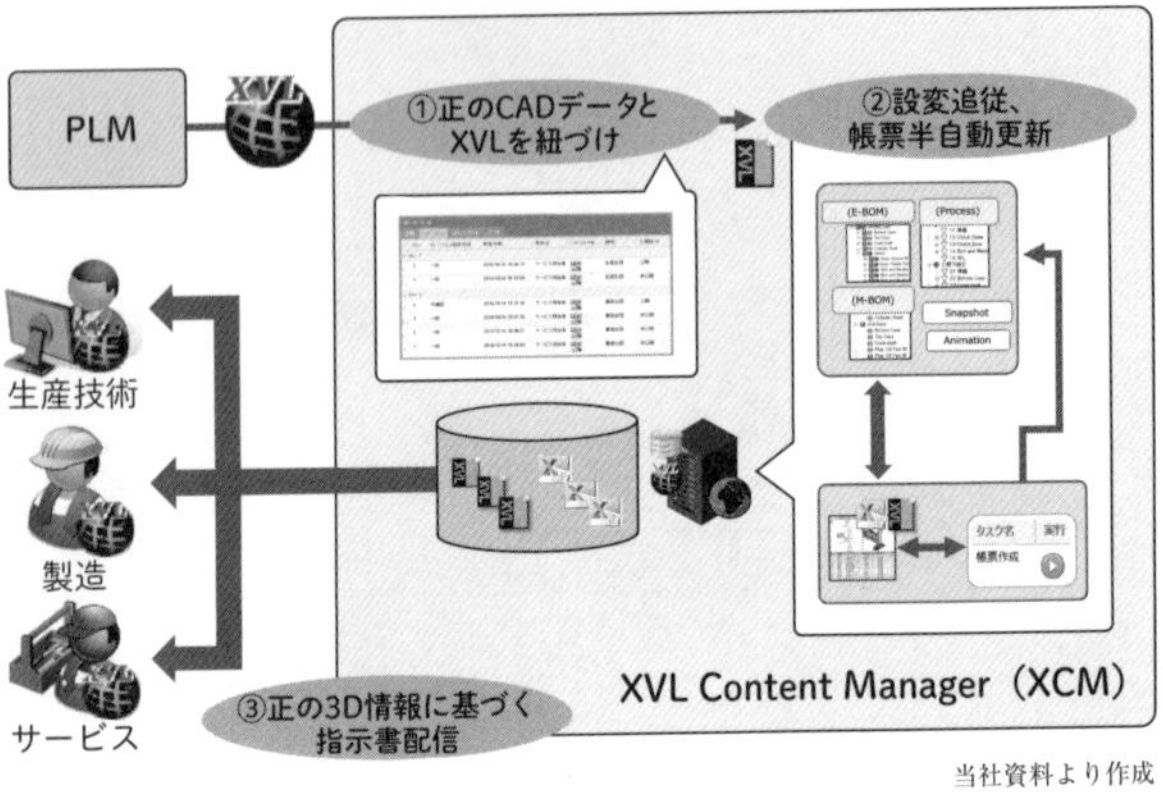

当社資料より作成

O'Brien氏はデータ変換、設計変更履歴管理、データ配信、作業指示書の公開などを可能な限り自動化してほしいと要望した。

加えて第6の要素として、エンタープライズレベルのシステムとの統合である。作業指示書に入れるべき情報が他のシステムから来ることもあれば、出来上がった指示書情報を他のシステムに渡すことも必要ということである。ＸＶＬによるデータ連携は、いわば緩いシステム連携であり、各システムにＸＶＬ内のデータを授受する、あるいはＸＶＬそのものを管理するといった機能を実装することで、システム連携が実現できる。設計のＰＬ

Mシステムと生産部門にある製造BOMやBOP情報との連携を実装すればよい。また、MES（Manufacturing Execution System：製造実行システム）と連携すれば、作業指示書に準じた作業がきちんと実行されたのかのデータも収集することができる。3Dデジタルツインである XVLが各システムの間をつなぐ血液の役割をする。

この6要素こそCasual3Dそのもの

XVLという技術は、もともと「いつでも、どこでも、だれでも3D」というCasual3Dの考え方に基づいて開発された。Casual3Dを実現するために、周りのシステムとの連携で作業指示書に必要なデータをXVLに統合し、マルチフォーマットで作業指示書を自動生成可能にし、PLMからのデータの流れを作り、設計変更にも柔軟に追従できるようにしてきた。開発サイドであるラティスの向かっていた道と、ユーザーサイドである米国の大手防衛メーカーの向かっていた道が同じ場所にたどり着いたという事実こそ、この6点が本質的なポイントだということを示している。作業指示書の考え方を端的に表現したこの6つの要素はまさにCasual3Dで実現してきたことそのものだったのである。

ＸＶＬの利点をもう一点付け加えるとすれば、ＸＶＬは製造部品表や組立手順といった作業指示書に必須の情報を長期的に維持拡張しつつ、続々と現れる新デバイスに対応してきたということである。つまり、製造現場のデータは長期にわたり保管され利用されていくので、基盤となるＸＶＬデータは25年前のものであっても、情報が再現できるようにしてきた。その上で、ノートＰＣからタブレット、ＶＲ・ＡＲ機器へと進化する新たなデバイス上でそれらの３Ｄ情報を表示し、活用できるようなＸＶＬソフトウェア群を続々と投入してきたのである。その結果、ＸＶＬユーザーは最先端のＡＲやＶＲ環境で、作業指示書を再現することが可能になっている。

さて、ソ連の将校スタニスラフ・ペトロフは警報メッセージにどう対応したのだろうか。30分後には5発のミサイルが飛んでくるかもしれないという逼迫した状況下で、彼はこの警報は誤りだと考えて却下し、上層部への報告を見送った。米国への報復攻撃は行われなかったのである。

世界を破滅の危機から救った彼は、なぜそのような判断をしたのだろうか？　それは米国が先制攻撃を仕掛ける場合には初めから大規模な攻撃になると告げられていたからだ。事前に正しい情報が伝えられ、それを人が正しく判断すれば、過ちは防げる。正しい情報を事前に現場に伝えることの重要性を感じさせるエピソードである。

第8章

竹内製作所におけるファーストペンギンが切り開くDXへの道

図8-1　最初に海に飛び込むファーストペンギン

欧米では、リスクを恐れず初めてのことに挑戦する精神の持ち主を、賞賛を込めて「ファーストペンギン」と呼ぶ。

ペンギンは集団で氷の上を移動し、海の前の断崖に集合するという。最初の1羽が海に飛び込むと次々に飛び込み、皆が海中の魚にありつく。その海中には天敵のアザラシやシャチが待ち構えているかもしれない。しかし、ファーストペンギンが海の安全を自らの身をもって示すことで、それに続く集団が安心して餌にありつくことができるのだ。

この話はDXに挑む製造業のようだと感じる。新たなデジタル技術を利用してプロセスやビジネスモデルを変革しようとするとき、そこには数多くの失敗のリスクがある。しかしそこに、リスクを背負って先頭を走る誰かが出てこないと挑戦は始まらない。リスクを背負ったＤＸリーダーが先頭に立って推進することで、企業は生産性の革新という大きな果実を手にすることができる。

今回は小型建設機械をグローバル展開する株式会社竹内製作所（以下、竹内製作所）の生産技術から工場に至るＤＸ推進の事例を紹介する。これを主導した情報システム部長の土屋琢郎氏は、まさにファーストペンギンである。なお、本章は２０２３年２月に開催されたＸＶＬものづくり支援セミナーにおける土屋氏の講演内容に基づいている（ＱＲ24）。

拡大する生産をＩＴでいかに支えるか？

主要市場が海外である竹内製作所は、２０２３年の米国新工場に続き、２０２４年には長野県にも新工場を立ち上げ、欧米からの旺盛な需要に対応しようとしている。急激に生産量を拡大しながら同時に生産性も上げていくには、ＩＴを利用して既存の課題に

QR24：XVL 3次元ものづくり支援
セミナー2023 講演レポート

加え、新製造拠点からの要望にも応えていく必要がある。幸い同社は２０１２年頃からダッソー社のＰＬＭシステムである3DEXPERIENCE CATIAを導入し、３Ｄ設計を進めてきた。またＥ－ＢＯＭ（部品表）の作成も並行して進め、生産管理のためのＥＲＰシステムも導入、安定的に運用してきた。

一方、生産技術部門のデジタル化はまだ発展途上で、試作の時点で組立手順は決めるものの、Ｍ－ＢＯＭ（工程に沿った部品表）を作成するには至らず、設計変更が発生すると職人技で対応するという問題があった。

しかし、同社には工程を設計するプロセスを確立したいという願いがあった。工程設計が不完全であると、ＥＲＰと現場の部品状況が一致せず、部品のきめ細かな払い出しができずに生産性を低下させるといった問題も起こる。

そこで同社が選択したのが、３Ｄを活用して組立工程設計をし、デジタルでその完成度を上げるという方法である。土屋氏は３Ｄデータによる工程設計は次にあるように一石六鳥であり、これほど効率的な手法はないと指摘する。

図8-2　XVLを利用した3D工程設計の例

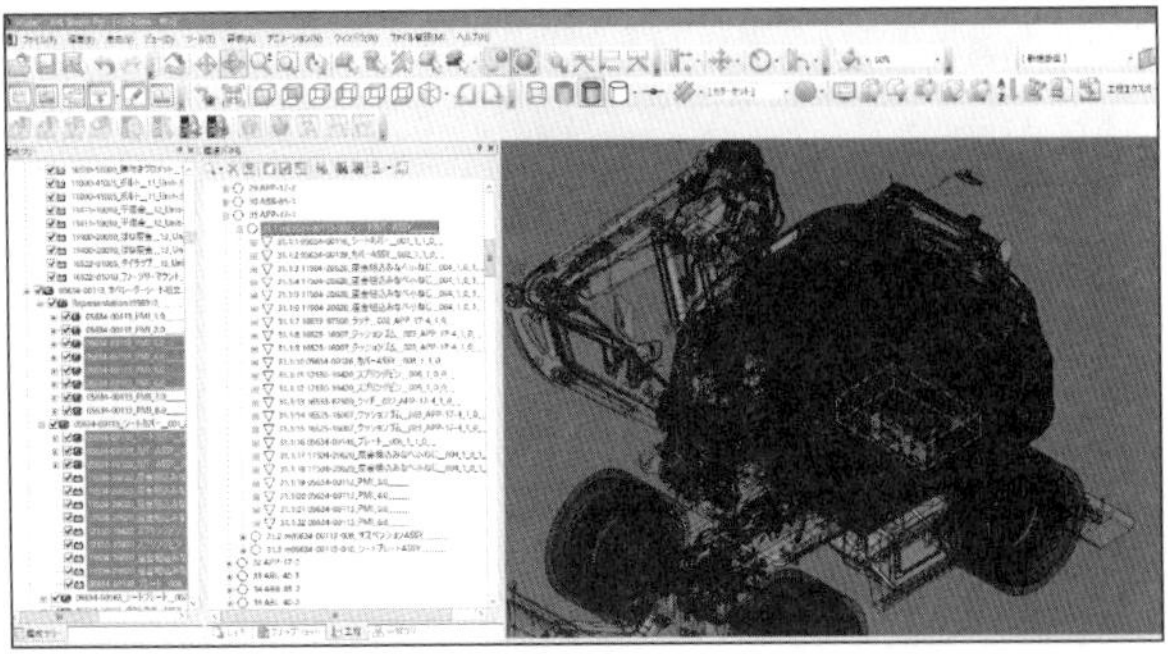

出典：竹内製作所

① 組立手順と経路までを３Ｄで定義するので、その過程で、結果的に生産現場の課題を前出し、早期に手が打てる

② 正しい工程設計ができれば、３Ｄアニメーション付きの作業指示書を自動生成できる。その指示書はネットワークを介してグローバルに展開、海外の工場支援ができる

③ 同様の資料を使って、３Ｄで教育や学習用の資料を作成し展開できる

④ 正しい指示書があれば、現場の状況に即した、きめ細かい部品の払い出しが実現できる

⑤ 組立手順付きの３Ｄモデルはそのまま品質管理の基礎データとなる

⑥ これは同時に生産システムの基礎データともなる

こうして同社ではＸＶＬの工程編集機能を利用し、生成された３Ｄ作業指示書をＸＶＬＷｅｂ３Ｄ技術でグローバル配信するという方針を立てた。

噴出する課題との闘い

たとえ一石六鳥であっても、プロジェクト完遂までにはたくさんの壁に突き当たる。３Ｄで工程設計をするプロセスを新たに構築すると決めると、次のような疑問が現場から噴出した。

①　ＸＶＬで作成した工程情報をどう管理するのか？　設計変更にどう追従するのか？
②　工程設計は工場と生産技術部門の擦り合わせが必要で時間も工数もかかる。
③　何のための誰のための作業指示書か。どこまでの粒度で作成するのか？
④　仕様の異なる製品ごとにすべて工程設計をするのか？

推進リーダーの土屋氏は現場部門の聞き役と部門間のコーディネーターに徹し、これを一つ一つ解決していく。情報部門という立場を活かし、各部門の要望をじっくりと聞いた上で、ＤＸ推進のファシリテータになった。

たとえば、作業指示書は現場の組立作業員が見る。しかもターゲットは新設の米国工場だ。であれば、３Ｄアニメーションで分かりやすいものを作成し、現場の人にはフォルダを見せない、表示は手軽なタブレットでも可能とする、といった方針を立て、関係部署と調整しながらプロジェクトを進めていく。

セキュリティ面では、人材の流動の激しい米国で作業員に３Ｄデータを見せて大丈夫かという反対論も出る。それには、ＸＶＬ Ｗｅｂ３Ｄで表示する分にはダウンロードできないので、情報漏洩のリスクはないと反論する。

結果として、新たに導入された３Ｄによる工程設計の作業には、担当者は反対するどころか積極的に取り組んでくれたという。さらに、完成した〝直感的に理解しやすい〟３Ｄの作業指示書を見た米国工場では、作業員から「ＸＶＬ！　ＸＶＬ！」のシュプレヒコールが響いたという。

米国工場での成功は本当に輝かしい。しかし、生産技術から工場までを貫くＤＸの本質は、3Dモデルを利用して工程設計を行い、試作段階で生産要件をデジタル検証するところにある。M－BOMや組立手順、組立経路までを内包する3DのXVLモデルがあるからこそ、試作機でトライする前に仮想試作で課題を発見し、それに対処することができる。

実際に新機種の工程設計を3Dで行うようになり、それまで試作機で見つけていた課題を前段階で発見できるようになったという。完成した3D作業指示書を見ながら試作機を組み上げていき、問題がなければ、それがそのまま量産のための作業指示書となっていく。この結果、部品の払い出しチェックも試作段階からできるようになる。こうして、3Dモデルをベースとした次世代プロセスが徐々に完成していく。

BOMだけではダメなんです！

セミナーの中で土屋氏は、工場やサービス現場の写真、工場と生産技術部門の打ち合わせ風景の写真を見せて、「BOMだけではダメなんです！」と主張した。その心は、現場が必要とするのは組立手順やサービス手順であって、BOMはその前提にはなるがそれだけではまだまだ不十分だということである。

３ＤとＥ－ＢＯＭが連携して初めて、現物を置き換え可能な３Ｄデジタルツインの土台ができ、そこにＭ－ＢＯＭや組立順序が加わって工程検証も可能になり、作業指示書も生成できる。このように３Ｄデジタルツインが完成していくと、次にやるべきことも見えてくる。

この工程設計の仕組みを次の新工場にも適用し定着させていけば、さらなる生産性の向上が見込める。そのためにはＭ－ＢＯＭ編集を効率化し、設計変更への追従をしやすくする必要がある。その次のステップでは、Ｓ－ＢＯＭ（サービス部品表）編集プロセスを確立し、サービスＤＸに切り込んでいきたいと土屋氏は語る。こうして製造業ＤＸ×３Ｄの適用範囲は成功体験を積み重ねながら、拡大していく。

実は、ＸＶＬという技術には、小さなＤＸ成功体験を順次拡大可能にする仕組みが埋め込まれている。図８－３のように、ＰＬＭからＢＯＭ・ＥＲＰといったシステムのデータを吸収しながら３ＤデジタルツインとしてのＸＶＬの表現範囲は広がっていくか

図8-3　製造業DX×3D実現への道筋

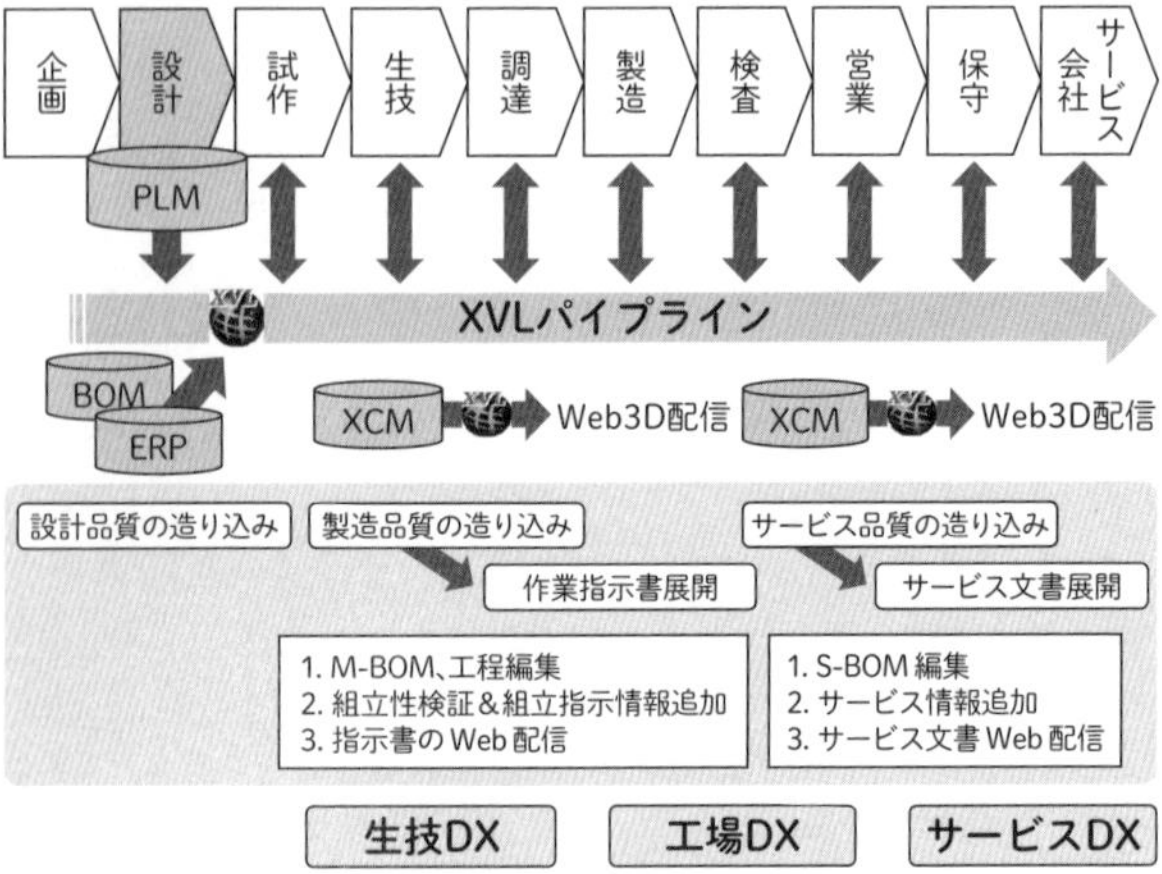

当社資料より作成

らだ。それぞれの現場が必要とする構成情報をＭ－ＢＯＭあるいはＳ－ＢＯＭから引き出してＸＶＬに統合し、それぞれの視点で検討することで、デジタルで製造品質やサービス品質を向上させることができるようになる。また、現場が必要とする組立情報やサービス情報をＸＶＬに紐づけることで、工場では作業指示書を、サービス現場ではパーツカタログを表示することができる。

　このように３Ｄモデルとものづくり情報を統合し、データの価値を上げながら、ＸＶＬデータはＸＶＬパイプラインを流れる。流れてきたＸＶＬを徹底的に活用し、生技ＤＸから工場ＤＸ、さらにはサービスＤＸへと順次ＤＸを拡大し、成功させていこうというのがＸＶＬパイプラインという思想なのである。

こうして生成された３Ｄ作業指示書やサービスマニュアルはＸＣＭ（XVL Content Manager）というＸＶＬデータを管理する専用データベースで管理することで、ＣＡＤでの設計変更への追従も可能になる。最新のＸＲ技術を使えば、ＶＲで製造工程を検討し、ＡＲで現物上に寸法を表示できる。一度作成した情報を、次々と徹底的に活用することができる。たとえば、ＸＶＬ ＶＲ技術を利用すれば、ワイヤなどの現物を３Ｄモデルと統合して検討することも可能だ（ＱＲ25）。

このようにＸＶＬデータを最新のテクノロジーで活用し、ＤＸから得られる果実を徐々に拡大できるのもＸＶＬパイプラインのメリットである。

本当に足りないものは何か？

土屋氏の主張する「ＢＯＭだけではダメなんです！」については、実はまだ最後に足

QR25：XVL VR Plusで
疑似MR（Mixed Reality：複合現実）
の提供を開始

りないピースが残っている。それはＤＸ成功に向けて必須の要素、つまり組織とプロセスの変革を推進するヒトの問題である。

設計〜生産技術〜工場〜サービスと部門横断でＤＸを進めようとすれば、システム全体を描き、利害の対立する組織間の調整を行い、新プロセス導入に反対する現場の賛同を得ながら、システム構築を推進する人材が何としても必要である。実際、多くの企業でＤＸに失敗するのは、この組織変革する人材の力量不足が大きい。変革によって負担が増える現場での組織的な反対、既存のやり方を頑なに変えない現場に対抗していくのは難しい。トップは推進リーダーにアウトプットを強く期待するが、試行錯誤しながら進めていく新プロセスの構築には、それなりに時間がかかる。

ＤＸが多くの企業で成功しないのは、推進リーダーがそのプレッシャーに耐え切れないからだ。

だからこそ、ＤＸ成功には土屋氏のようなファーストペンギンが必要である。実際に土屋氏が２０１９年にチームをリードするようになってから、同社のＤＸは急速に進展していった。

このあたりの事情を同氏に聞くと、システムが大きくなってくると議論も発散してしまう。したがって、まずはアジャイル的に開発して、実現の可能性を探りながら構想を固めることが大事と指摘する。これでいけると確信できれば、徐々に仲間が増えて推進のエネルギーが増していく。工程設計のデジタル革新はいずれしなければいけないという思いを持ったメンバーは他にも必ずいる。ファーストペンギンの役割は、そのメンバーの思いを自らの身をもって確信に変えることなのである。

ポリアンナ効果と製造業ＤＸ

心理学にポリアンナ効果という言葉がある。１９１０年代にベストセラーとなった『少女ポリアンナ』に由来する言葉で、人は肯定的な評価を好み、肯定的な体験ほど思い出しやすいという性質を指す。１９８０年代には日本でもアニメ化され、そのアニメの中でポリアンナは周りから冷たく扱われる。それでも、毎日「よかったこと探し」をして楽観主義者として日々を楽しく過ごす。

時間のかかる製造業ＤＸの成功に向けては、成功体験を次々に広げていくポリアンナ効果を狙うことも有効だろう。もちろん大局を見て、本来のＤＸの目的を見失なわず、成功体験の積み重ねが本来の方向に向かっていることが前提だ。

竹内製作所の事例でいえば、海外工場で作業指示書の展開に成功したら、そのプロセスを国内の新工場にも適用する、そこにＡＲ技術を採用し、現場の生産性をさらに上げる、そしてサービスＢＯＭ構造を定義し、サービスマニュアルのグローバル配信も行う、といったことが考えられる。

こうした道が開けたのも、ファーストペンギンが大きなリスクの潜む極寒の海にまず飛び込み、そこに豊富な幸に恵まれた世界があることを示してくれたからである。ファーストペンギンは大きな目標を見据え、その次の成功の海に飛び込む勇気を持っている。

「世の中の情報システム部は見識も技術も持っているはず。自社でプログラム開発をするなど、もっともっと頑張ってほしい」と土屋氏は言う。ＤＸ推進に悩む製造業各社にも、きっとファーストペンギンはいるはずである。

第9章

日本電子における現場主導のＶＲ展開

ＡＩやＶＲなど、あらゆるテクノロジーは浮き沈みが激しい。そのことを体系的に説明したのが、米国の調査会社ガートナー（Gartner, Inc）が提唱するテクノロジーの「ハイプ・サイクル」という概念である。

ハイプ・サイクルとは、テクノロジーとアプリケーションの成熟度、採用状況、およびテクノロジーとアプリケーションが実際のビジネス課題の解決や新たな機会の開拓にどの程度関連するかを図示したものである。

ガートナーのハイプ・サイクルは、テクノロジーやアプリケーションが時間の経過とともにどのように進化していくかを視覚化することで、ビジネス目標に沿った採用判断のために必要な最適な知見を提供するという。要するに、先進テクノロジーは黎明期から「過度な期待」のピーク期と幻滅期を経て、やがて使えるものだけが安定期に至るということだろう。

テクノロジーの浮き沈みを体系化するハイプ・サイクルとは？

ガートナーによれば、テクノロジー・ライフサイクルは次の５つの重要なフェーズからなる。

①黎明期：潜在的技術革新によって幕が開く。初期の概念実証（PoC）にまつわる話やメディア報道によって大きな注目が集まる。多くの場合、使用可能な製品は存在せず、実用化の可能性は証明されない。

②「過度な期待」のピーク期：初期の宣伝では数多くのサクセスストーリーが紹介されるが、失敗を伴うものも少なくない。行動を起こす企業もあるが、多くはない。

③幻滅期：実験や実装で成果が出ないため、関心は薄れる。テクノロジーの創造者らは再編されるか失敗する。生き残ったプロバイダーが早期採用者の満足のいくように自社製品を改善した場合に限り、投資は継続する。

④啓発期：テクノロジーが企業にどのようなメリットをもたらすのかを示す具体的な事例が増え始め、理解が広まる。第2世代と第3世代の製品が、テクノロジー・プロバイダーから登場する。パイロットに資金提供する企業が増える。ただし、保守的な企業は慎重なままである。

⑤生産性の安定期：主流採用が始まる。プロバイダーの実行存続性を評価する基準がより明確に定義される。テクノロジーの適用可能な範囲と関連性が広がり、投資は

図9-1　ガートナーのハイプ・サイクル

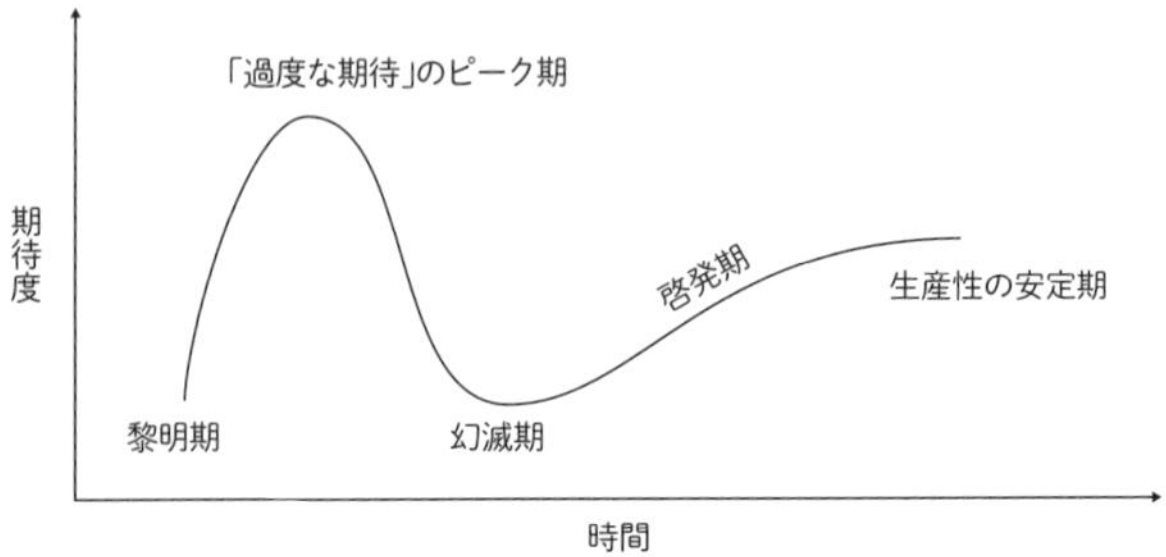

出典：ガードナーHPより（2024年3月）

確実に回収されていく（QR26）。

技術的なシーズと顧客のニーズがマッチしていないと一旦消えてしまうテクノロジーは多い。たとえば、1990年代にラピッドプロトタイピングとして出現した3Dプリンターは2012～13年に大ブームを迎え、現在は幻滅期を経て企業での活用が安定期に入っている。一方、家庭用3Dプリンターの話題は最近ではあまり聞かない。

2016～18年に何回目かのブームを迎えたのがVRである。今回は2021年5月に開催した3DDXセミナーにおける日本電子株式会社（以下、日本電子）のIT本部、佐藤美和子氏の講演を参考に、同社でのXVL VR導入の経緯から、ハイプ・サイクルを意識しながらDX成功に至るまでのVR導入手法を

QR26：ガートナーハイプ・サイクル

考えてみる。

２０１４年、早くも始まった日本電子のＶＲ検証

２０００年以前、ＶＲは高価なハードウェアとコンテンツ開発のための莫大なコストを必要とする割には、まだまだリアリティに欠けていた。そのため産業用途では、さまざまなＶＲデバイスやソフトウェアが登場しては廃れていくという歴史を繰り返していた。２０１５年以降の大きな変化は、Facebook の Oculus に代表されるようなＢ２Ｃ市場を対象としたエンターテインメント向けＶＲ市場が一気に開花しようとしている点である。ＶＲ機器の価格が劇的に下がったことで、出荷が桁違いに増え、ハードとソフトの進化が進み、リアルな３Ｄモデルを再現できるようになった。

はたして、今回こそ「過度な期待」への幻滅期を越えて、ＶＲは製造業にも定着するのだろうか？

電子顕微鏡などの分析装置や医療機器、半導体製造機器を製造販売する日本電子は、２００２年以降、積極的に３Ｄ ＣＡＤの導入を進め、今では９割以上の出図が３Ｄ

ベースになっているという。また、２００４年には製造や生産技術分野でＸＶＬを導入、３Ｄデータを利用した作業指示書の作成にも積極的に取り組み、コンカレント開発を推進してきた。

電子顕微鏡のように大型で高価な機器を開発する同社では、気軽にモックアップ作成はできない。このように実機製造に多大なコストがかかる大型製品を開発する分野では、ＶＲ活用の意義は大きい。

同社では、２０１４年に早くもＶＲに着目し調査を開始、体験会を実施したことで、各部門がそれぞれに何に活用できるかを模索し始める。分かってきたことは、多岐にわたるものづくりの課題をＶＲは解決できるということである。実際に大型電子顕微鏡の外装設計をレビューしたり、実機完成前に組立手順を検討したり、お客様に製品のレイアウトを分かりやすく説明したり、工場見学といった印象的なシーンにおいてもＶＲの利用を開始したという。

図9-2　日本電子におけるXVL VR活用事例（講演資料より引用）

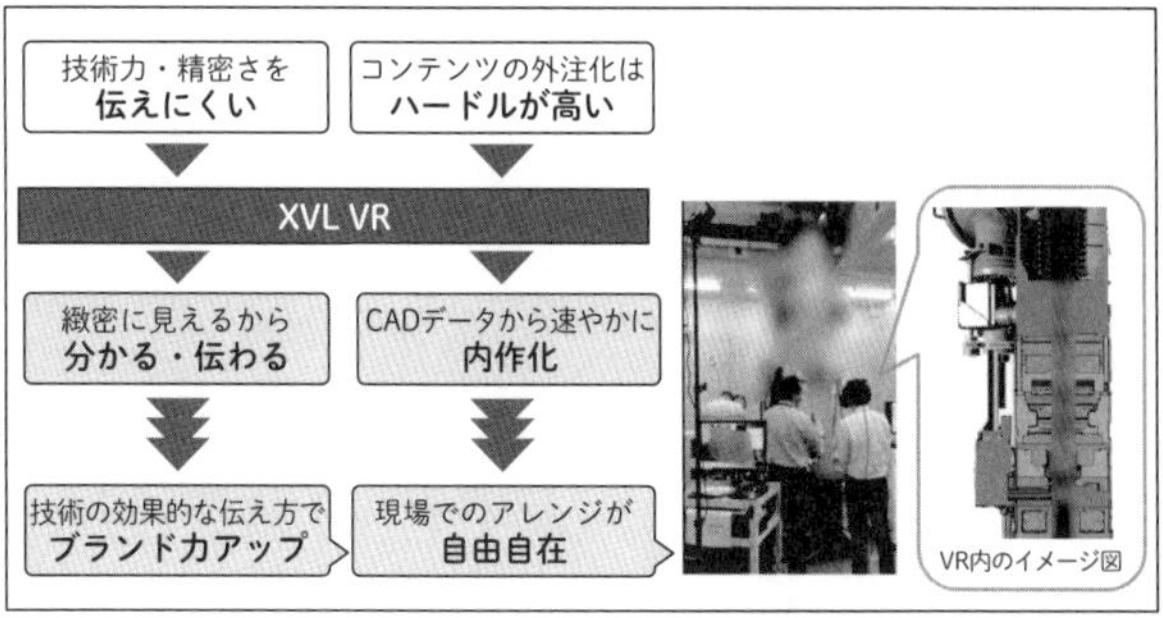

出典：2021年5月の佐藤美和子氏の講演資料

製造業にとってＶＲはなぜ有効なのか？

それにしてもこれまでも３Ｄで設計し、大型モニター上でレビューしていたはずの同社で、どうしてＶＲレビューが有効なのだろう？　それは大型の構造物の場合、モニター上では実際の感覚がつかみにくいからだ。実物大でリアルにモノを体感できるＶＲなら、その感覚がつかみやすい。人より大きなモノの検証の場合、モニター上の検証では気付かなかったことに、ＶＲで体感してみて初めて気付くことが多数あるという。そういった問題は、これまではモックアップを試作して初めて見つかっていた。ＶＲを使えば、設計モデルの段階で問題を発見し、早期に解決できるようになる。

工場見学にＶＲを利用するというアイデアも面白い。実機がそこにあるわけだから現地現物を見学する方がはるかに印象的のように思えるが、ＶＲによる工場見学は印象に残るという。

その理由はＶＲの持つ先進性に加え、外装カバーをとって構造を見せる、その断面を見せるなど、ＶＲなら詳細に内部構造を提示できるからだ。実機では、内部構造を見せにくく、よって技術力や緻密さを伝えにくいのである。ＶＲであれば、３Ｄモデルの見せ方は現場で自在にアレンジできる。東京にいても遠隔地の工場見学を実現できるので、多くの人に好印象をアピールする貴重な機会となるだろう。

これまでのＶＲが製造業に定着しなかった理由とは？

ＶＲによるデモは非常に印象深いのに、製造現場でほとんど運用には乗ってこなかった。その理由はどこにあったのであろうか？

現場でのＶＲ定着のボトルネックは、ＶＲデータやコンテンツの準備に大きな手間がかかることである。手間をかけて作成したデモを見た人は、一様に凄いといってくれる。

しかしこの準備の手間が大変で、現場への定着には至らない。さらに致命的なことは、電子顕微鏡レベルの複雑さになると3Dデータが重たすぎてVR表示が使い物にならない。そこでデータを間引くことになるが、それではVRでのモデル表示が実機と異なってしまう。そんなものは信用できないので、結局、現場ではモックアップで確認しようということになる。本末転倒である。これまでのVRは、まさに効果的なデモで「過度な期待」を生みながら、運用段階ではユーザーを幻滅させてきたのだ。

実運用に至る製造業向けVRは、「現場の現場による現場のためのVR」でなければならない。そこでXVL VRの開発コンセプトを次の3つとした。

①　準備レス
②　実機レス
③　設変レス

テクノ・システム・リサーチ社の調査によれば、2022年のエンジニアリングビューワ市場において、XVLは日本で約80%のシェアを持っている。つまり、ほとんどの企業では、設計の３Ｄモデルに対応するＸＶＬモデルが既に存在する。ということは、ＶＲヘッドセットをかぶれば、即座にＸＶＬを表示するだけで、準備の極力いらないＶＲシステムができる。ＣＡＤで３Ｄ設計したデータがそのまま使えるので、データ準備が不要になるというわけである。

さらに、大容量３Ｄモデルを軽快に扱えるＸＶＬの特徴を活かし、ＶＲ表示に最適化することで、何万点もの部品から構成される複雑な製品でもそのままＶＲ表示できるようにした。大容量３Ｄで実機と全く同じモデルのレビューを実現したのである。

その上で、ものづくり現場で必要となる部品移動や接触判定、アニメ再生などの機能を提供し、現場のベテランによるＶＲレビューを支援する機能も提供した。製造視点でのＶＲレビューを可能にすることで、これまで頻発していた設計変更をとことん減らすことも可能となった（ＱＲ27）。

QR27：製造現場で使えるVR、
「XVL Studio VRオプション」
（通称:XVL VR）誕生

図9-3　VR選定時の評価ポイント（講演資料より引用）

	XVL VR	A	B
変換の容易さ	◎(1ステップ)	△(3ステップ)	○(2ステップ)
画面遷移の滑らかさ	◎	◎	○
動作ネットワーク環境	◎社内LANフローティング（社外へライセンス貸出可）	△社内LAN動作不可	△ノードロック
アニメーション再生	○	×	×
UNIT単位で部品選択	○	×	×
将来性	◎(製造業向け機能改善)	×（機能改善なし）	△(海外製で改善不明)
価格	○	無償	△

出典：2021年5月の佐藤美和子氏の講演資料

日本電子における VRの評価ポイントは？

これらの開発サイドの考え方は、日本電子にはどう映っていたのだろうか？　同社では複数のVRソフトを評価し、XVL VRの導入を決めた。その比較表を見てみると、第一の評価項目が「変換の容易さ」、まさに準備レスに対応したものであった。社内にXVLがあれば、データの変換や加工をせず、それをそのままVRで利用できる。

第二が「画面遷移の滑らかさ」、大容量3Dモデルで実機と同等のモデルをスムーズに表示すること、つまり実機レスに対応するものであった。図9－3の三項目以降の機能は

図9-4　VRを活用可能な領域

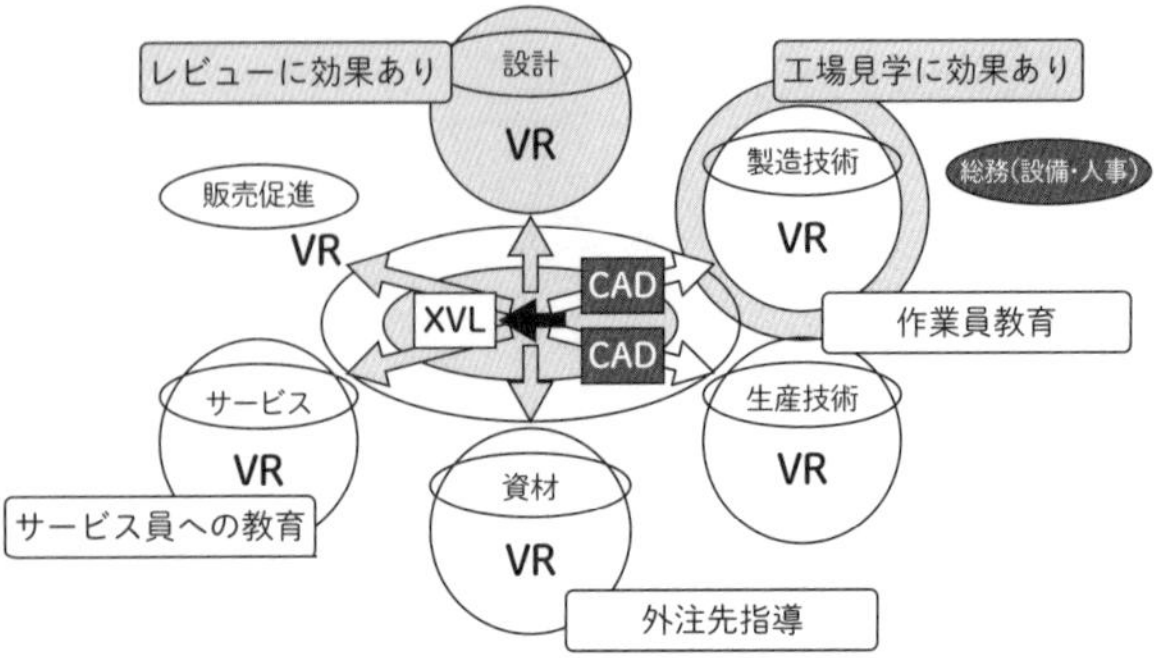

出典：2021年5月の佐藤美和子氏の講演資料

設変レスを実現するために提供してきた機能そのものである。現場で使えるVRを目指した開発指針は同社のニーズと合致していた。この評価を経て、同社は2020年XVL VRを導入に至る。

日本電子がVR導入で大事にしてきたこと

日本電子でのVR導入の経緯で特筆すべきは、「現場主導で何に使えるかを見極め、現場がその有効性を認識することで適用範囲を広げていく」という点である。IT部門はあくまで環境を提供し、VR体験を促すことに徹する。VRは実際に体験してみないと、本当の凄さは分からない。実際にVRヘッドセットをかぶった人からは、ここまでできるようになったのかと感嘆の声をよく聞く。実際、同社でＶＲ体験会をしてみると、作業員やサービス員の教育にも使えるのではないか、外注先の指導にも使えるといったアイデアが続々と出てきたという。

このような声を聞いて、遠隔地間を結んでＶＲを行う機能が開発された（ＱＲ28）。

実際に日本電子においても、ＶＲの強みを活かせることから、地方にある製造拠点と東京の生産技術部署間との擦り合わせを検討している。実物大の装置をラインに並べた際の生産スペースや生産性の検討は、図面やモニター上ではイメージをつかむことが難しい。ＶＲなら実寸大の３Ｄを遠隔地間で共有し、擦り合わせることができる。

ＶＲが真の開花期を迎えるには？

さらに、より下流工程の工場では、生産設備などの３Ｄモデルが存在しないことがほとんどである。それならば、ということで現地現物をスキャンした点群もＸＶＬ ＶＲの中で扱えるようにした（ＱＲ29）。

QR28：XVL VRで
出張レスコラボレーション

QR29：点群VRビデオ：
工場の3D スキャンデータを
XVL VRで体験

このビデオには、手のモデルが表示される。これはVR体験をしている人の手を認識して、VR空間内に再現したものである。人は自分の手を開いてみて、モノの大きさや距離感を実感する。こういった機能を追加することで、幻滅しないVRが完成していく。

テクノロジーのハイプ・サイクルでは、幻滅期の後に「啓発期」を迎え、安定期に向かう。テクノロジーを導入した現場で「これは使えるね」「結構効果あるね」といった評価が出て、投資対効果の高さが社会に伝わることで、テクノロジーは生産性に貢献する安定期に向かっていく。

現場主導の日本電子の場合には、まさに現場での評価が高まった段階である。当然、テクノロジーに対する期待や要望も多数出てくる。こうした先駆的にチャレンジするユーザーとVRを開発する会社が協調して、改善と現場適用を繰り返すことで、新たなテクノロジーは真の開花期を迎えるのであろう。

第10章

LIXIL社に見る「DX は一日にしてならず」

イギリスのモンティ・パイソンというグループが演じる『哲学者サッカー』というコメディをご存じだろうか。古代ギリシャと近代ドイツの哲学者がサッカーで戦うというコメディである。

ギリシャチームはアルキメデスやソクラテス、ドイツチームはヘーゲル、ニーチェ、マルクス、カントといった豪華なメンバーで、主審は東洋代表の孔子。ところが、試合開始のホイッスルが鳴っても、この選手たちは思索に没頭、誰もボールに触ろうとしない。誰もが自分の哲学の正当性を突き詰めているのだ。

この光景は、大会社における全社DX推進ワーキンググループで時々見かける光景、つまり自部門の利害だけを追求し、DXが立ちすくむ姿を思い起こさせる。

2001年、早くもWeb3Dの有効性を検証

さて、本章ではLIXIL社において3Dで実現したDX挑戦の物語を取り上げる。

2001年、住宅建材メーカーだったトステム社の若手社員2人が設立間もないラティス社に1週間滞在し、当時Web上での軽量3Dとして売り出していたXVLでコ

図10-1　2001年当時に作成したWeb3Dコンテンツ

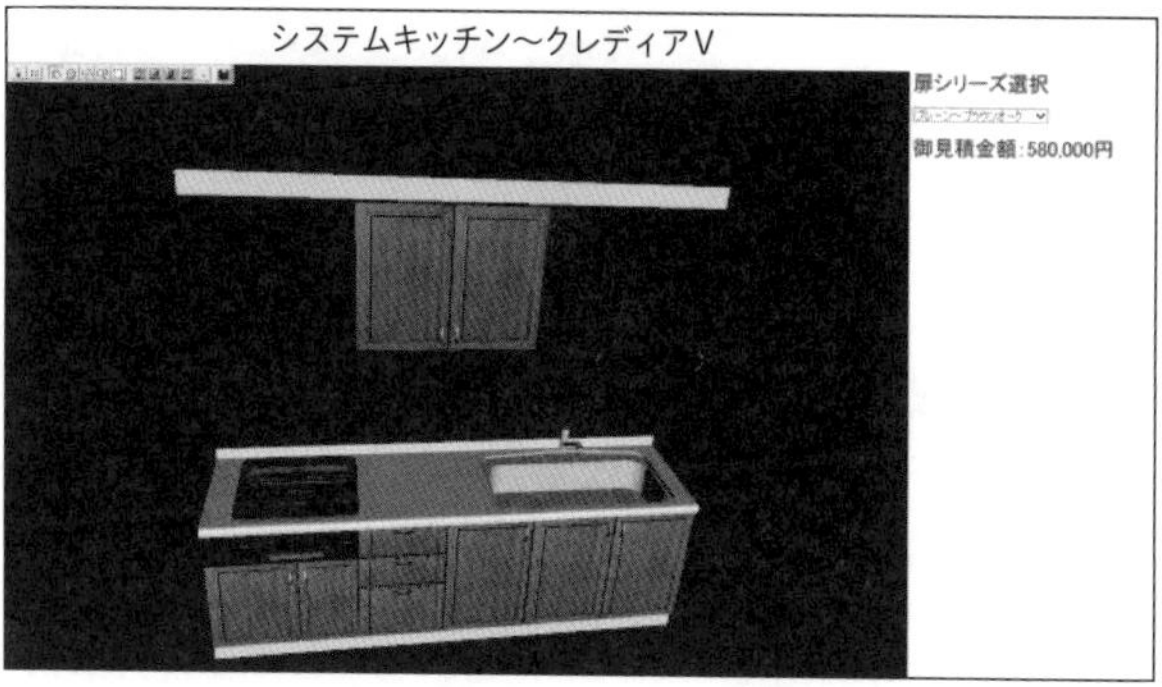

出典：株式会社LIXIL

ンテンツの制作に挑戦した。自社製キッチンの3Dデータを持参してXVLに変換し、ドアの色や材質を選択できるようにし、ドアをクリックすれば開くというアニメーションを付加し、異なる商品を選べば価格が変わるというWeb上の3Dコンテンツを制作した。これらを当時完成したばかりのXVL Playerで3D表示したのである。こうして自社の商品をWeb3DでPRできることを実証した。今でいうPoC(Proof of Concept：概念実証)だ。2001年のあの日、確かに未来のあるべき姿を垣間見ることができたのである。

図10-2　現在の見積・シミュレーションシステムの画像イメージ

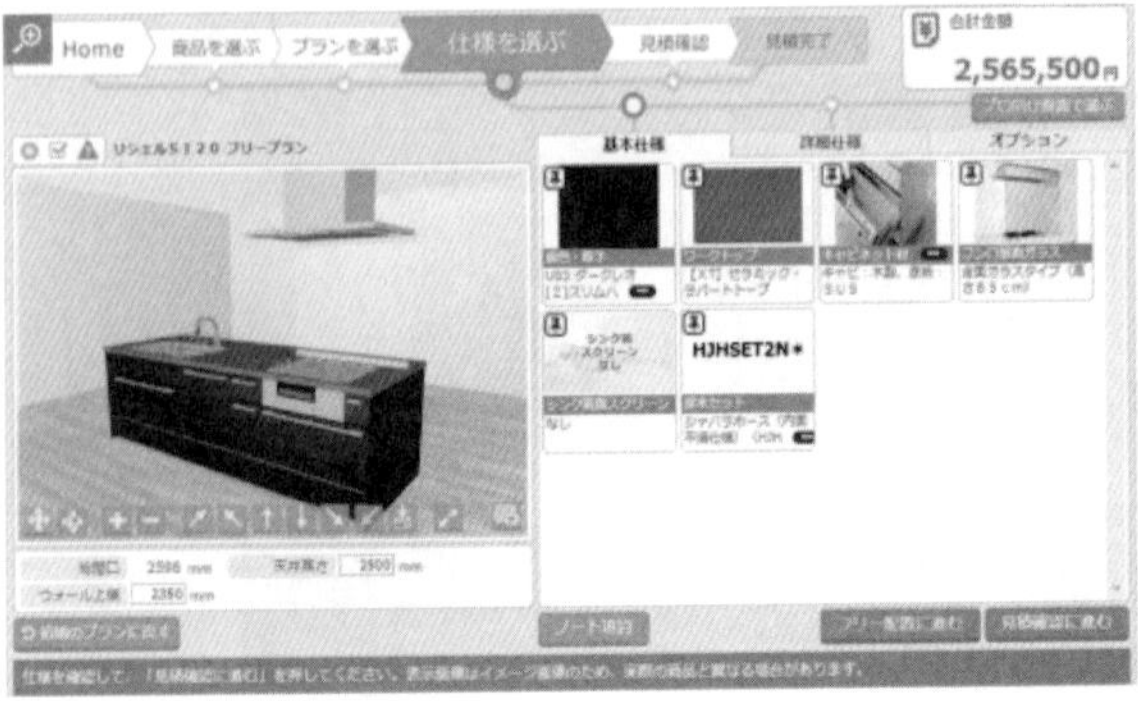

出典：株式会社LIXIL

２０１１年ＬＩＸＩＬ社誕生、見積・シミュレーションシステム開発へ

それから10年後の２０１１年、トステム社はＩＮＡＸなど5社と統合し、キッチンやトイレ、バスや洗面台など多様な住宅設備を提供するＬＩＸＩＬという大会社が誕生する。

１９２３年創業のトステム社ですら多くの建材系企業を統合しながら成長してきたのだから、さらに大きくなったＬＩＸＩＬ社は異なる商品体系や情報システムが乱立し、混乱していたのではないだろうか。この大合併の後には当然、それらを統合していこうという動きが起こる。同社では、その動きの一環で、３Ｄモデルを有効活用した営業見積・シミュレーションシステムを開発することになった。さっそく2001年に挑戦したWeb3Dの実現を見据えてデジタル変革の取り組みが始まった。

ここに立ちはだかったのが多様な商品体系、複雑な商品構成である。統合に伴って乱立する商品体系とコンフィグレーションのルールを整備することが必要になる。住宅建材はお客様の家のサイズに合わせて商品の大きさが変わるので、3Dで表現すべき商品は何百万、何千万通りにもなるという。まずルールを明確化しないとデジタル化は不可能だ。LIXIL社内では相当な時間と手間をかけてこのルールを整理統合したはずである。ルールが整理されたら、デジタルの出番。XVL上にパラメトリック変形機能を提供することで、お客様が欲するあらゆる商品を3D表示できるようにした。

一方、LIXIL社内では掲載する商品すべての3Dモデルを準備し、それを継続的に提供する体制を整えた。この社内プロセスの変革が、その後のDXの原動力になっていく。

ビフォーコロナの時代には、完成した見積・シミュレーションシステムはLIXIL

社の営業社員によって幅広く利用されていたという。同社のショールームは全国に百近くある。そこに来店した数多くのお客様に3Dを活用した商品提案を行い、その魅力を伝えることができた。見積プロセスの変革による業務効率化とともに、顧客満足度の高い提案書作成に貢献することができたのである。

ところがである。2020年の新型コロナによる突然の非常事態宣言で、ショールームを訪れるお客様が激減する。

2021年コロナ禍で加速したオンラインショールーム立ち上げ

そのとき、同社のCDO（最高デジタル責任者）金澤専務役員が自宅のキッチン購入時にこの社内システムを利用してみたことで、その有用性を認識し、社外へのオンライン営業に利用することを発案したという。緊急事態でデパートもショールームも開けない中、この社内見積システムの社外へのオンライン公開に踏み切り、3Dによる遠隔地営業が開始された。コロナ禍で対面営業が難しくなる中、実際にやってみたらお客様にも大好評、社員にとっても時間と移動の制約がなくなり働き方改革にも貢献した。開設して1年足らずの間に1万4000組の方が利用しているという事実からして、膨大な数の提案活動に利用され、おそらく同社の業績にも大きく貢献したはずである。当時は、あのテニスの錦織圭選手を相手に3Dでキッチンの提案をするというビデオまで公開されていた。

さて、この成功の本質はどこにあるのだろうか？　それは、2011年のLIXIL誕生を機に商品体系とルールを整備し、それをベースに社内プロセスを変革したことにあるだろう。営業プロセスにデジタル情報の流れる仕組みを構築し、3Dデータを整備して、それを商品の進化とともに継続して提供していくという運用を実現していたからだ。3Dを基盤とする製品や商品情報の流れを作ることでDXを推進するという手法は、まさにXVLパイプラインそのものでもある。

「DXは一日にしてならず」。だが、得られる成果はとてつもなく大きい

こうしてみると、製造業DX×3Dというのは短時間に実現するのは難しそうだ。し

かし、進むべき方向が見えていて、それに向かって社内プロセスとルールを整備しさえすれば、上層部の判断次第で一気にDXが進み、それがビジネス上でかけがえのない競争力の源泉になることが分かる。この詳細は2001年、Web3Dコンテンツの制作に挑戦したかつての若手社員、LIXIL社の慶野知治氏との対談という形で以下のサイトに掲載されている（QR30）。

ところで、『哲学者サッカー』の試合の結末はどうなっただろうか。終了1分前にギリシャチームのアルキメデスが突然〝Eureka（分かった）〟と叫びボールに向かって走り出し、最後はソクラテスのヘディングで1点をもぎ取る……と続いていく。〝Eureka〟はアルキメデスがお風呂の中で自分の体積とお湯の上昇分の体積が等しいと気付いたときに叫んだ言葉として有名である。

本章で言いたかったことは、自社のDX推進ワーキンググループのアルキメデスは誰だろうかということである。誰かが走り出さないとDXはスタートしない。走り出したとしても「DXは一日にしてならず」。しかし、DXに成功したのなら極めて大きな競争力を手に入れることができるということなのである。

QR30：SPECIAL対談　リアルを超える顧客体験を創造、LIXILオンラインショールームで実現したDX×3D

第11章

SUS社の挑む3Dによるビジネス革新

ルネサンス期に生まれた遠近法は、近くのものは大きく、遠くのものは小さく見えるという人間の目の特性を絵画の上に再現したものである。これに加えて風景画では、近景・中景・遠景を描き分けると情感あふれた絵が出来上がると、ある美術館の学芸員から学んだ。近景はしっかりと描き込んでコントラストをはっきりさせ、遠くにいくほど輪郭をぼやかして明暗差を下げ、遠景は最低限の淡い色で描く。こうすることで絵に広がりが出て魅力的になるという。

では、近景・中景・遠景のどこが最も大事かと問えば、まず中景を描き込んで、そこを基準として近景と遠景との距離感を強調すべしということであった。

DXリーダー不在で起こる「デジタル家内制手工業」とは？

これはDXの推進手法とも似ているのではないかということに、はたと気付いた。つまり、近景・中景・遠景を現場、マネージメント、経営層と置き換えれば、マネージメント層が、現場と経営層の間でDXを成功させるためのキーとなる役割をすべきではないかということである。

眼前の課題に精通しながらどうしても個別最適に走りがちな現場、「革新的なプロセスを構築してＤＸを進めなさい」という立場の経営層、この間に入るマネージメント層にいるＤＸリーダーこそ、組織内外の調整と革新を推進し、現場の枠を超えた最適化を進めることができるのだ。

最近、製造業のデジタル化の現場を訪問して感じるのは、経営層が自社のＤＸは推進されていると確信している一方で、現場はそれぞれの好みで多様なデジタルツールを導入しているだけという悲しい実態である。

これはマネージメント層のＤＸリーダー不在が原因で起こる現象である。個別にさまざまなツールが導入されると、あちらこちらでムダなデータ変換やデータの再入力が発生し、デジタルの効果がどんどんと失われていく。挙句の果てに、昔と同じく出来上がった帳票を紙に印刷し、それを手でアナログ配布しているとなると、ＤＸとは真逆の方向に進んでしまう。

これが本書で再三取り上げてきた「デジタル家内制手工業」という状態である。デ

図11-1　典型的なデジタル家内制手工業の状態

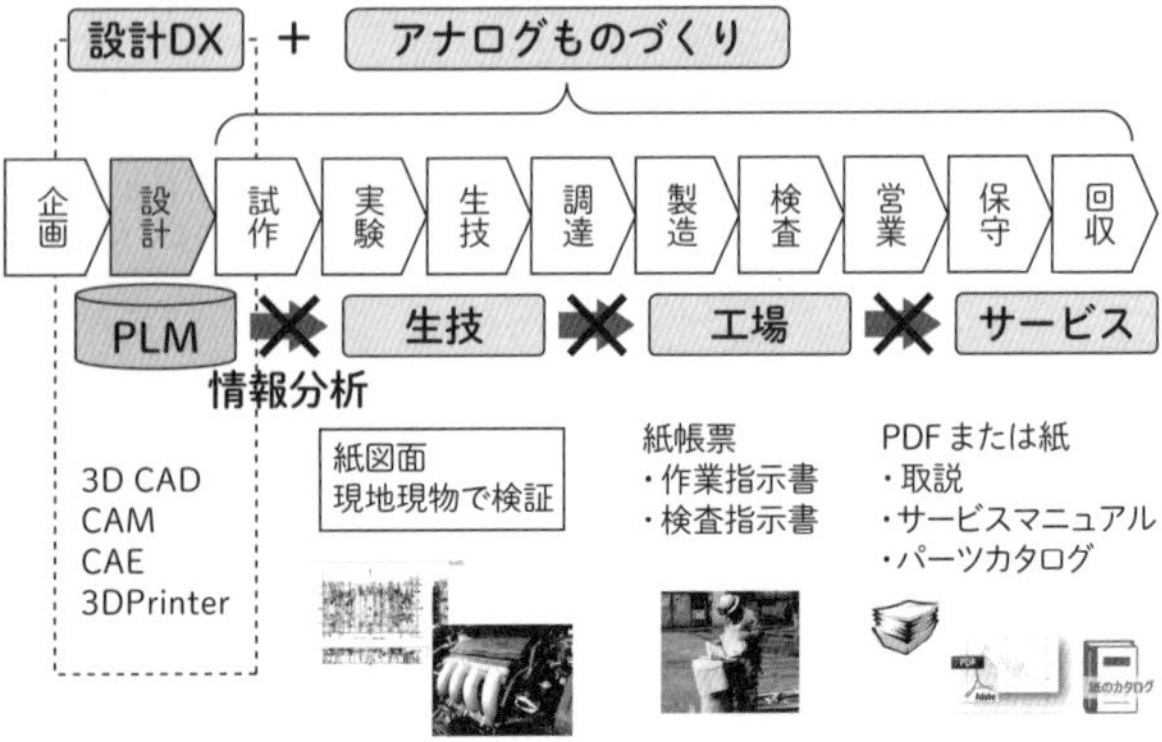

出典：当社資料より作成

ジタルツールの導入で、一見アナログな作業がデジタル化されたように見える。しかし実態は、人手でデータをかき集め、足りないデータを入力し、ツールで編集した後、別のツールに渡すためにデータ変換をし、変換時に欠落したデータを手で再入力し……という具合に、ムダな作業の連続になる。図11－1に典型的なデジタル家内制手工業の企業の状況を示す。

残念ながら日本の製造業のほとんどはこの状況にある。企業の幹部は「当社は3Dデータ活用に徹底的に取り組んでいます」という。しかし、それは設計部署に限定された話で、設計からの3D情報は途切れ、後工程では紙図面と紙帳票、そして現地現物に依存しすぎたアナログものづくりになっている。

その本質的な原因は3Dデータが部門の壁を越えられないところにある。それが紙と現物に置き換わるとデータとしての価値は失われ、DXとますます乖離していく。

「3Dデータの蓄積と流通」で実現する製造業DX×3D

デジタル化によって効果を出すには「同一形式による大量のデータの蓄積と流通」が必須だ。プレゼンテーションをPowerPointで作成する人は多いだろう。プレゼンテーション資料を数個作成するだけでは、ツールを覚える手間が増えるだけで効率はかえって低下する。一方、大量のPowerPointデータが蓄積されれば、過去のデータを再利用することが可能になり、編集効率が次第に上がっていく。また、これを組織で共有すれば、その生産性の向上を組織のものとすることができる。そして、これが組織を超えて実現できれば、その先にDXは実現されていく。

図11-2　3Dデジタルツインの蓄積と流通で実現する製造業DX×3D

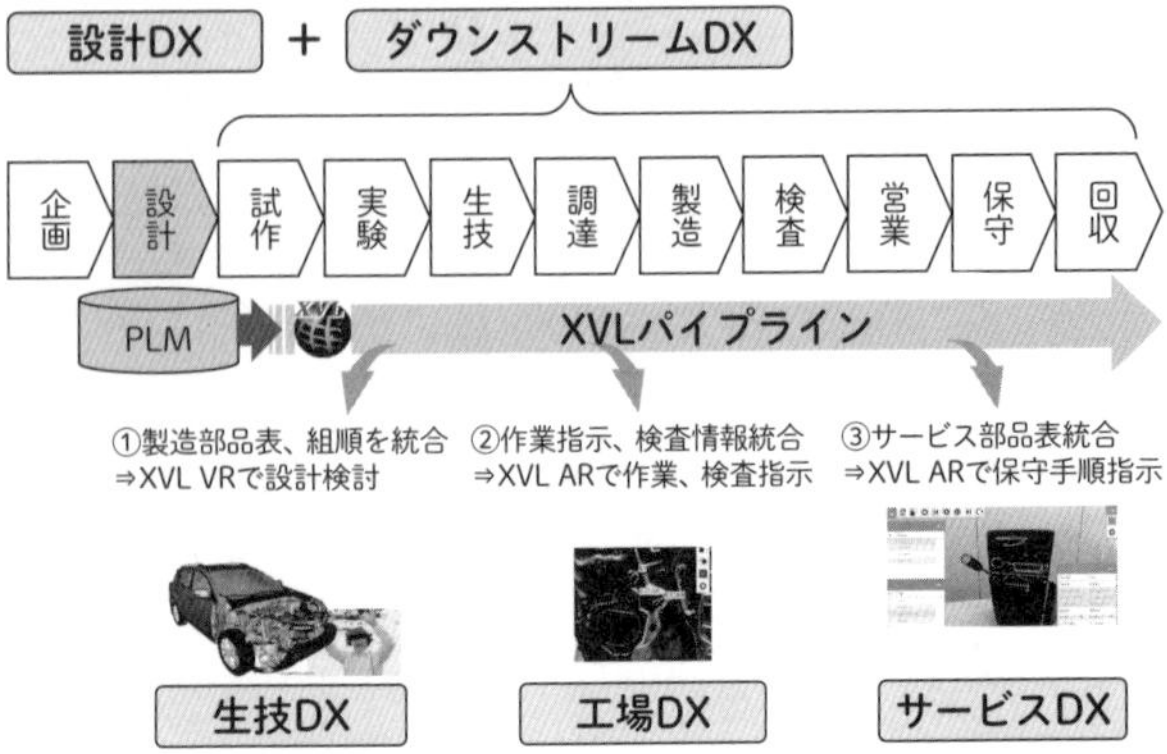

出典：当社資料より作成

「デジタル家内制手工業」の状況では、この生産性の向上が実現しにくくなる。なぜなら、異なるツールの異なるフォーマットではデータの流通が進まないからである。また、至るところで人手による作業が入り、データを流通させるためにデータ量に応じたコストが発生してしまう。さらに致命的なことは、データ変換のような異なるツールの使いこなしは属人的な作業となり、担当者が異動してしまうと運用が止まってしまう。だからこそ、ＤＸ成功に向けて、マネージメント層のリーダーの責任は重大である。

これを解決できないかと考えたのがＸＶＬ

パイプラインである。３Ｄ ＣＡＤを導入することで、設計部門のＤＸは進む。さらに設計部門に蓄積するＣＡＤデータを軽量化し、それを後工程にＸＶＬにして流す。そこに各部門が必要とするものづくりデータを追加する。

たとえば、製造部品表と組立順序を加えれば、生産技術部門は組立手順をＶＲで再現し、実機がなくても作業性を検証できるようになる。それに現場で必要な作業指示情報を与えれば、３Ｄの作業指示書ができる。その作業指示書はＡＲを使えば、現物の上にも表示できる。デジタルで擦り合わせを行い、デジタルで現場力を引き出すことができるのである。こうして図面と実機を置き換えた３Ｄデジタルツインを全社に流通させることができれば、全社レベルでＤＸが進む。

この社内ＤＸ成功の先に、「デジタルを利用したビジネスモデルの変革」という本来の製造業ＤＸが目指すべきゴールがある。

SUS社における3Dによるビジネスモデル変革

本章では、製造業ＤＸ×３Ｄに挑戦する事例として、アルミフレーム構造材の業界でナンバーワンのＳＵＳ株式会社（以下、ＳＵＳ）の取り組みを見ていく。

同社でＤＸを推進したのは、ＤＸ担当の取締役の渡邊雅志氏である。経営層でもあるが、むしろＤＸリーダーとして、製造業ＤＸ×３Ｄを推進している。

ＳＵＳは製造設備などで利用されるアルミフレームを提供する会社だ。お客様である製造業では、このアルミフレームを切断・加工して組み立て、最終的にはアルミの筐体《きょう》（以下、アルミプロダクト）という３Ｄの構造物を作る。製造の現場では、創意工夫に富んだ部品棚や作業台、ＡＧＶ（Automatic Guided Vehicle：無人搬送車）を使った効率的な搬送システム等々を組み合わせて、生産性向上に取り組んでいる。

渡邊氏は、現実世界で３Ｄの構造物となるアルミプロダクトを、デジタルの世界でもレゴブロックのように組み上げていけるのではないかということに着目した。まさに３Ｄデジタルツインで目指す世界である。アルミプロダクトを構成するパーツの３Ｄ形状は市販のＣＡＤを使って同社で設計する。その上で、これを組み合わせて３Ｄの構造物を組み上げるための専用設計ツールａｐｄＸを自社開発し、お客様に提供した。部材の３ＤモデルもＳＵＳからお客様に提供する。その部材にはあらかじめ結合の仕様、つまり、どの部材とどの部材のどこがつながるか、どの部材はどの部材とつながらないか、といった情報を設定しておく。

この結果、ａｐｄＸユーザーはレゴブロックを組み上げるように、手軽に、しかも正しくアルミ部材を組み上げ、自分たちの欲するアルミプロダクトをデザインできる。デザインに要する時間が1日から1時間に短縮、生産性が桁違いに上がったという声が実際にお客様から届いているという。

ａｐｄＸの発想が素晴らしいのは、それがＳＵＳ社内に留まることなく、お客様にも利用されることを想定して開発されていることである。実はａｐｄＸの大文字ＸはＤＸのそれであり、また、未知なるプロダクトをアルミで設計するという思いが込められているという。

実際に現場でアルミプロダクトを利用する方自身が、その最終イメージをデザインすることができるようになっている。もちろん部材情報も自動更新されるので、お客様は最新の製品情報に基づいてデザインを進めることができる。また、その結果は軽量なＸＶＬ形式で出力して関係者間で共有、組立工程から検査まで利用できる仕組みとなって

図11-3　apdXの3DモデルをXVLで活用する

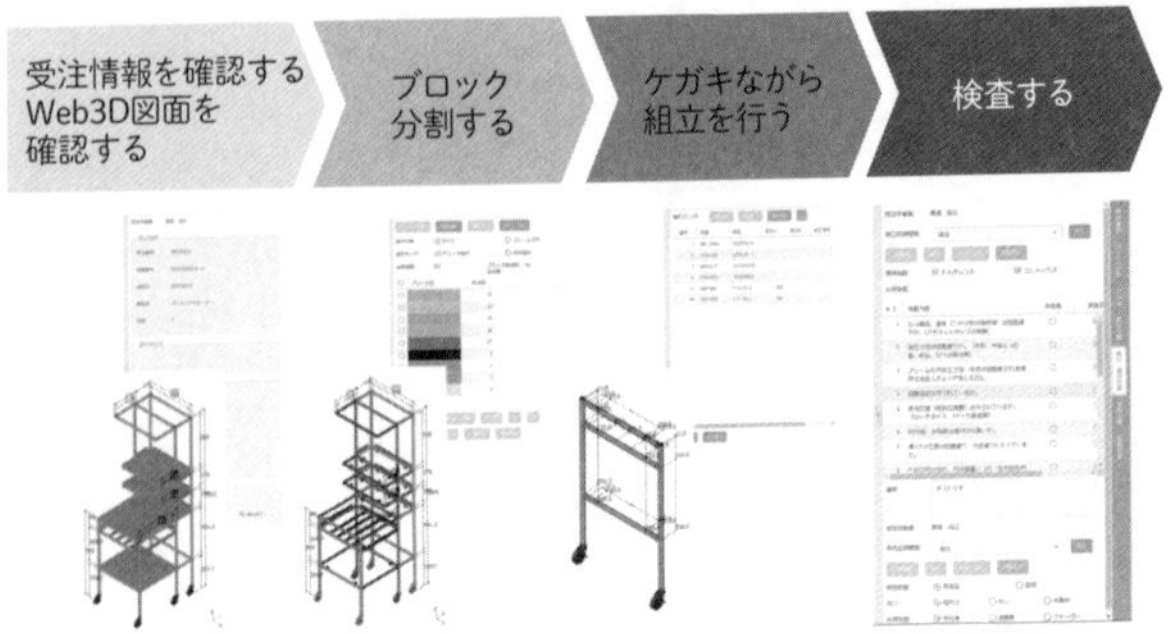

出典：SUS株式会社

いる。

　現在、ＸＶＬでの利用は社内に留まっているが、今後はそのまま協力メーカーやお客様にも使っていただく計画である。必要な寸法まで記載された３Ｄによる組立手順書を確認しながら、お客様はアルミプロダクトを組み上げることが可能になる。

　最も画期的なのは、渡邊氏の構想がビジネスモデルの変革までを見据えたものであったことである。実際、ａｐｄＸでデザインされた情報は、同社のオンラインストア「ウェブサス」へ送信され、そのまま受発注できる仕組みになっている。表面的には、設計モデルを構築するという情報の流れだけに見えるが、その裏では受発注情報や標準原価といった経営情報の流れも捕捉できるシステムとなっているのである。また、筐体設計の事例をライブラリとして公開することで、お客様のデザインを支援する取り組みも行っている。お客様には、ベストプラクティスとなるデザインをいち早く利用できるというメリットが生まれる。

昨今ではレゴブロックでスーパーマリオやスターウォーズの人気キャラクターなどを作るレゴセットが売られている。それと同じように、最高の筐体デザインを3Dモデルで共有し、現実のアルミ筐体で再現できる世界を実現したいと渡邊氏は語る（QR31）。

近景・中景・遠景に学ぶDX成功の秘訣

この事例から、DXの本質は「データの蓄積と流通」であること、そしてそれを実現するのは、率先するマネージメント層におけるリーダーの存在であることが分かる。

日本の浮世絵で、近景・中景・遠景はどう表現されているかを調べてみた。歌川広重の名所江戸百景という風景画の中から「隅田川水神の森真崎」を見てみると、手前にある桜の花は花びらまで写実的にしっかりと、中景にあたる隅田川沿いの木々は枝ぶりな

QR31：SPECIAL対談　“ＤＸ×３Ｄ”を体現する新サービス・アルミプロダクトデザイナー“apdX”～お客様のイメージを具現化する仕組みをＷｅｂで提供～

図11-4　歌川広重の「隅田川水神の森真崎」

どその概形が、はるか遠くの筑波山は淡い色で描かれ、非常に魅力的な浮世絵に仕上がっている。第1章では変革を成功に導く公式を紹介したが、近景は現場の不満、遠景は目指すべき方向、中景は成功に向けた最初の第一歩とも解釈できる。そして第一歩を成功に導くには渡邊氏のようなDXリーダーの存在が極めて重要である。

DXの成功を考え抜くと、絵を見る目も肥えてくるような気がする。歌川広重は木版画で人気の浮世絵師となり、西洋のゴッホやマネにも影響を与えた。現代に生きる我々も、日本ならではの製造業DX×3Dで世界に影響を与えたいものである。

第12章

ムーアの法則と3Dフォーマット

日常生活ではあまりお目にかからない「指数関数的な」という言葉を思い出したのは、新型コロナの感染者グラフを見たときであった。特にあのオミクロン株では、人から人に感染するまでの時間が最短2日ということもあって、感染者はまさに指数関数的に増大した。2023年10月にノーベル賞を受賞したカタリン・カリコ氏らによるmRNA技術を利用したワクチン供給が進んでいたおかげで、幸いにも重症に至る患者はそれ以前と比較して少なく抑えられたと思われる。しかし、患者数の急激な増加によって、保育園や学校、交通機関、ゴミ収集などの社会基盤が止まってしまうリスクが当時は懸念された。指数関数的な変化のもたらす社会への脅威をまざまざと見せつけられた思いであった。

ムーアの法則に適応できない社会

ＩＴ業界の指数関数的な変化を予測したのが有名な「ムーアの法則」である。インテルを創業したゴードン・ムーアが提唱したこの経験則は、「半導体の集積率が1年半で2倍になる」というもの。同じ面積にトランジスタ素子が倍々に構成できるようにな

図12-1　ムーアの法則とデジタルトランスフォーメーション

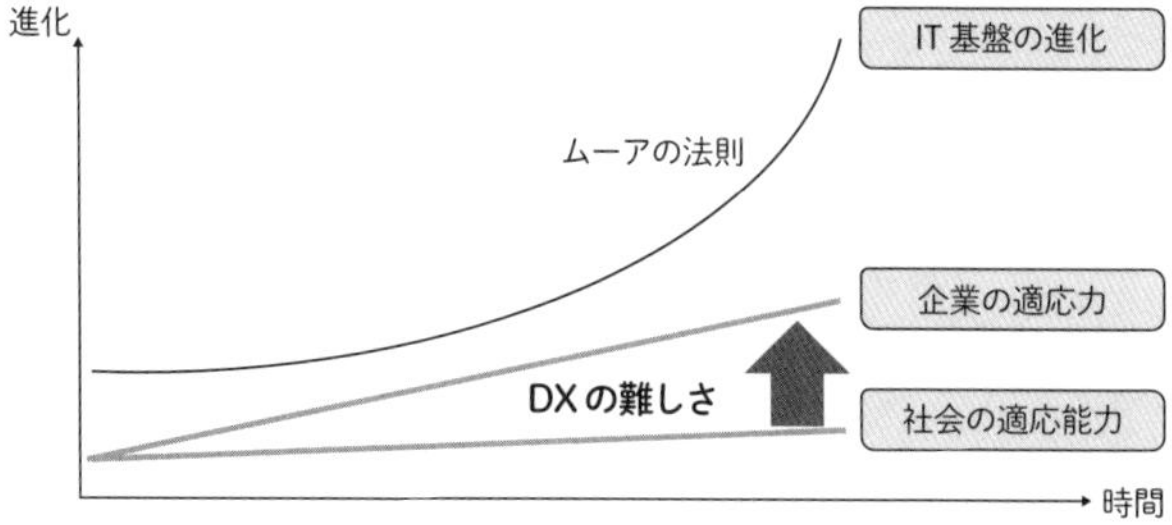

出典：当社資料より作成

ると、劇的な性能向上と低コスト化を生み出すことができる。その結果、ＣＰＵの処理速度やデータの保存容量、ネットワークの帯域幅が急激に改善され、それがセンサの小型化やソフトウェアの発展を促し、ここ十数年で社会は急速に変化してきた。

しかし、ＩＴの進化と社会の適応能力には大きなギャップがある。

スマホやインターネットなど個人で使いこなせばよいだけのものであれば、あっという間に社会に浸透する。一方、社会でＩＴを効果的に利用するとなると、複雑な利害関係が絡み、旧来からの習慣をなかなか変えることができない。これは複雑なプロセスと人間関係から成る会社にもあてはまる。実はＤＸの難しさはこのギャップにある（図12－1）。

図12-2　ものづくりIT基盤の進化

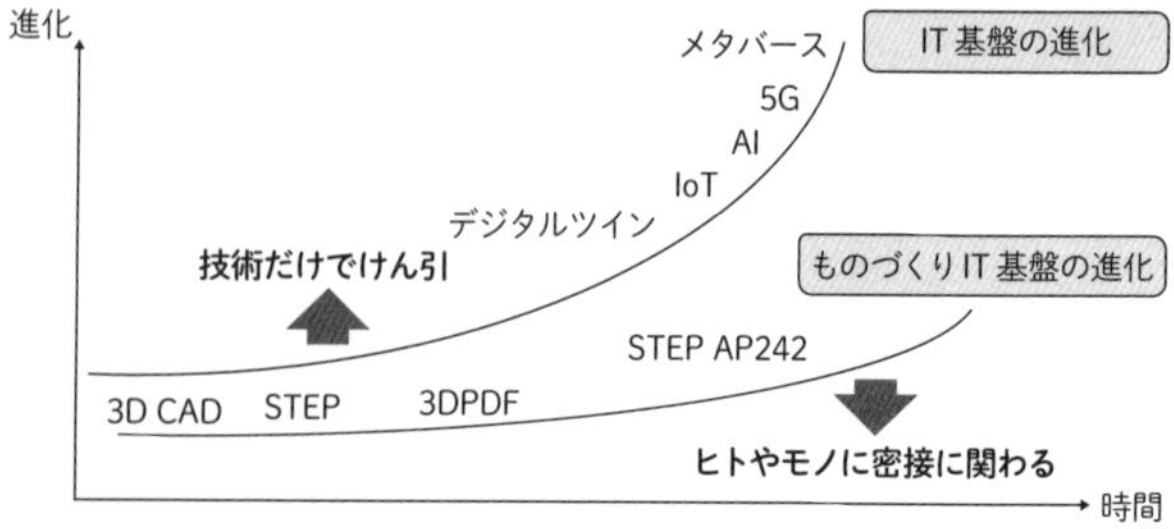

出典：当社資料より作成

デジタルの部分は進化しても、社会も会社もその進化に適応、つまりトランスフォームできない。そう考えると、適応の遅い社会に先行して、どれだけ会社を進化するITに適応させ、利用していくかがその会社のDXであり、だからこそDXが競争力になるのだろう。

ムーアの法則に追従できないものづくりIT基盤

このムーアの法則に引っ張られて、デジタルツインやIoT、AI、5Gといった技術が生まれ、今はメタバースの時代を迎えようとしている。一方、ものづくりIT基盤の進化を見てみると、実はムーアの法則よりかなり遅れているように感じる（図

12－2）。

3D CADが1980年代に出現して30年以上経ったというのに、2020年のものづくり白書では3D設計のみという会社はわずか17％であった。3D CADフォーマットのSTEPも1990年代半ばにはISO化されたが、それが日本で普通に流通するまでに15年はかかっただろうか。2014年に策定された、図面内にあってアノテーションを表現できるSTEP242が本格的に流通し始めるのは、まだまだ先になるだろう。

このように、ものづくりIT基盤の進化が遅れているのは、ムーアの法則がテクノロジーだけで進化するのに対し、ものづくりIT基盤はヒトとモノに引っ張られて進化と普及が遅れるからだ。

ものづくりIT基盤を支える4つの3Dフォーマット

本章ではこのものづくりITを支える基盤技術の一つとして3Dフォーマットを話題に取り上げる。3D CADデータ変換で著名なエリジオン社のCTO（当時）である相馬淳人氏と２０２１年に対談した内容を参考にしている。この対談では、ＩＳＯ（国際標準化機構）で認定されたＣＡＤデータを高い精度で表現する３Ｄフォーマットとして、⑴ＳＴＥＰ、⑵ＪＴ、⑶３ＤＰＤＦ、⑷ＱＩＦの４種類を取り上げた（ＱＲ32）。

ここに記載した４つは、いずれも３Ｄ ＣＡＤ内部の３Ｄ表現であるＢＲＥＰ（Boundary Representation：境界表現）を保持する。つまり、ＣＡＤと同等の高い精度で形状情報を保持できるという特徴がある。

⑴ STEP

かつては３Ｄ ＣＡＤデータというと、まず形状データが重要であったが、ＣＡＤで作成する３Ｄデータの品質が向上したので、むしろ図面に合った公差や注記といった情報、アセンブリ構造といった情報が重要になっている。実際にＳＴＥＰでは、航空宇宙業界向けのＡＰ２０３と自動車業界向けのＡＰ２１４が統合されてＡＰ２４２となり、さらに図面にあるＰＭＩ（Product Manufacturing Information：製品製造情報）やハーネス、締結情報なども追加されている。ＣＡＤデータの交換から出発して製品情報のデータベースの基盤として発展してきた。

QR32：SPECIAL対談　3Dデータで繋ぐ～
(1)CAD系の3Dフォーマットの標準化動向

(2)　JT

表示用のポリゴン表現部分がＩＳＯ化されている。ＣＡＤデータの交換に利用されるＢＲＥＰ部分は正式にはＩＳＯ化されておらず、２０２３年現在議論中である。ＪＴのＢＲＥＰ部分は、Siemens社製のＮＸなど複数のＣＡＤで利用されている３Ｄカーネル Parasolidをベースとしたフォーマットなので、それらのＣＡＤからは当たり前に出力することができる。したがって、ＪＴのＢＲＥＰもＣＡＤデータ交換の世界では、実運用上よく利用されるフォーマットになっている。もちろん、アセンブリやＰＭＩも表現できる。

(3)　3DPDF

ドキュメントの世界で利用されるＰＤＦ内で３Ｄを見るためのフォーマット。ここにも表示用のポリゴンとＢＲＥＰの両方が含まれるが、表示用途が多数を占める。表示だけであればポリゴンで十分なので、ＢＲＥＰを持っている意味は事実上あまりない。これが背景となってか、３ＤＰＤＦのＢＲＥＰ部分をＳＴＥＰベースにするといった３ＤＰＤＦ拡張の動きがある。

⑷ QIF

形状データにPMI情報を加えることで計測や検査に利用できるように提案されたフォーマット。図面にあるPMI付きの3D CAD情報を流通させてしまおうという意図で、米国農機具大手のディア・アンド・カンパニーが主導して標準化した。公差情報のすべてにIDを割り振って、検査結果を統計的に分析するところまでを視野に入れている。設計部門での3D CADによる公差の入力方法の標準化から着手する必要があるので、普及するのは少し先になるだろう。

フォーマットが公開され、それが業界利益となるのであれば標準として認定するというのがISOの方針だという。このため、ISOが認定する前述の4つのフォーマットは、役割が重複するところもあってユーザーの混乱を生んでいる面がある。

また、これらを組み合わせてデータ交換を促進する動きもある。たとえば、STEPのAP242でアセンブリ構造を表現し、JTで3D形状を表現するという方法でCADデータ交換をしようという動きが自動車業界にはある。これらのフォーマットは高い精度を持つとはいえ、異なるBREP間で変換を行うと、数学的な近似が起こるので注意が必要だ。

たとえば、Siemens社のCADであるNX同士間をJTでデータ交換するのは合理的だが、ダッソー社のCATIAとNXの間をJTで変換するのは、東京から大阪に行くのにわざわざ金沢経由で行くような感覚である。異なるフォーマット間で変換をする場合には、ヒーリングするなどデータの正当性を確認した上で利用した方が安全である。

超軽量3DフォーマットXVLの位置づけ

これらの高精度な4フォーマットとラティスの超軽量3DフォーマットXVLの位置づけをざっくりとまとめたのが図12-3だ。

STEPやJTと異なり、XVLは「3D CADデータ交換」ではなく、エンジニアリング検証からドキュメント利用まで幅広く「3Dデータ活用」するためのフォーマットである。各CADのBREPデータからXVL変換することが可能で、CADに近い精度を保ちながら、データを最大100分の1に軽量化することで、軽快に3Dデータを扱えるように設計されている。逆にSTEPやJTでは、高い精度を保つため

図12-3　3Dフォーマットの特徴

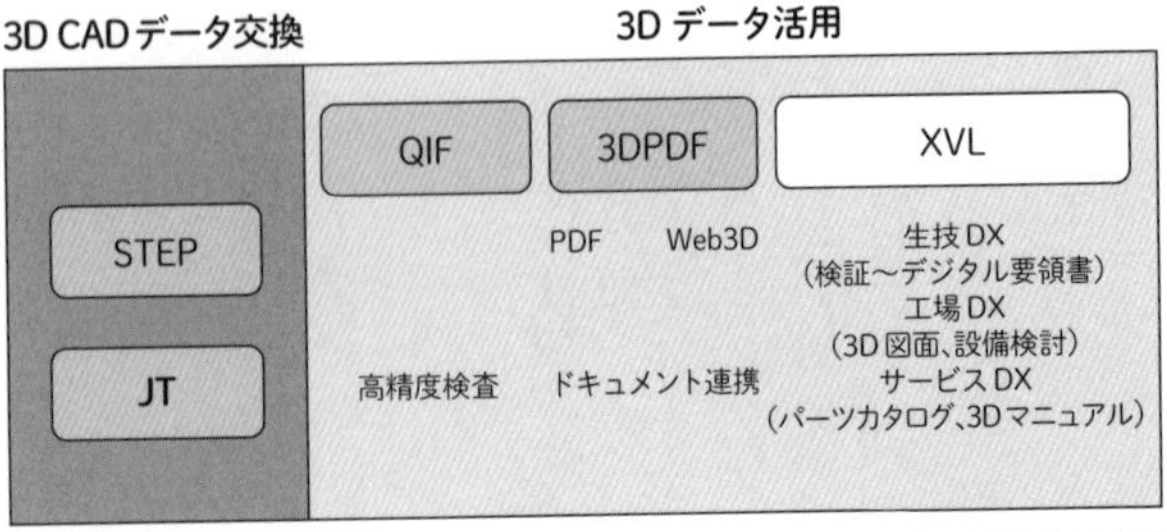

出典：当社資料より作成

に、ＸＶＬとは桁違いにデータ量が大きくなる。

　ＳＴＥＰやＪＴが何でも積み込める大型トラックだとすれば、ＸＶＬは電動自転車のようなイメージだろうか。混雑した商店街や路地の奥まで行きたければ、自転車の方がはるかに手軽で便利である。

　３ＤＰＤＦとＸＶＬは一見同じポジションに見える。しかし、３ＤＰＤＦはＰＤＦというドキュメントの中で３Ｄを見るための手段としては有効であるが、データが大規模であったり、データに製造部品表を加えたり、組立手順を加えるとなると大変な手間となる。ＸＶＬはそのような構造を柔軟に扱える仕組みを持っている。

　自動車や航空機、重機、製造装置といった大規模アセンブリの３ＤデータをＤＸの基盤として利用するなら、ＸＶＬの方が圧倒的に優位になる。３ＤＰ

DFが定型の手紙だけを大量に運べるとしたら、XVLは宅急便で中に何を入れてもよいというイメージだろうか。

「3D CADデータ交換」フォーマットとなると異なるCAD間を結ぶフォーマットになるので、国際標準化してフォーマットを公開し、関係するCADベンダーが変換できるようにしておくことが重要になる。データの長期保存に利用しようというユーザーに対してはなおさらである。ただし、国際標準化してしまうと仕様策定や利用にヒトやモノが密接に関わるので、技術の進化と普及は遅れる。

一方、「3Dデータ活用」では、最新のハードウェアやネット環境を活かしながら、ユーザーの利便性を実現していくことが重要となる。IoT機器やAR、VR、MRはムーアの法則に則って急激に進化していく。「3Dデータ活用」フォーマットは、それらに迅速に追従する必要がある。したがって、XVLでは3Dフォーマットの上位互換性を保ちながら、柔軟にフォーマットの拡張を行っている。こうして最新のIT基盤に追従して最適に3Dデータを活用できるよう、XVLは進化している（図12－4）。

図12-4　製造業DX×3Dを支えるXVLの進化

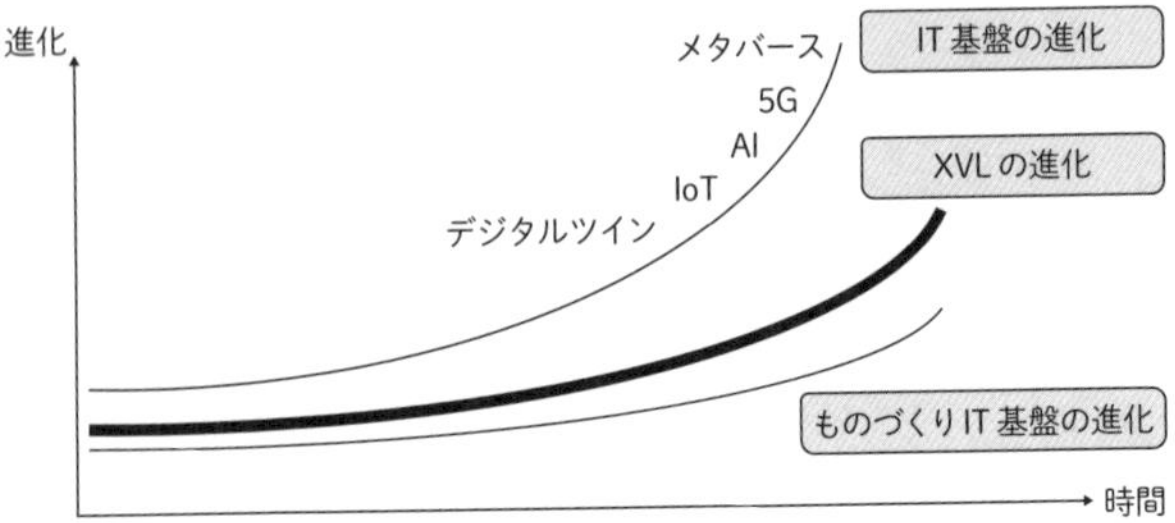

出典：当社資料より作成

ムーアの法則の支配するIT基盤と変化の遅いものづくりIT基盤の間に、XVLの進化は位置する。このような柔軟な拡張性を持つことが、「指数関数的」な変化をするIT基盤に追従しながら、製造業のDX×3Dを加速する上では重要になってくる。

急増したオミクロン株の感染に対して社会が柔軟な対応をしなければならなかったように、製造業においても、IT基盤の指数関数的な進化にはそれに追従する技術を利用することで、生産性の最大化を目指すべきだろう。

第13章

製造業DX×3D成功の秘訣

「魚を与えるのではなく、魚の釣り方を教える」。これは、途上国の支援で必要なことだとよく言われる。実際、人道支援として集められた巨額の資金が途上国の国庫に眠っていたり、ムダに使われていたりすることもあるという。魚を与えることで一時的な空腹を回避しても、魚を釣るすべを知らなければ、自立して生きていくことはできない。

同じことがDXにもいえるだろう。実現可能性を検証するPoCまでは、IT部門が率先してデータも準備し、時には現場のオペレーションまで担って成功に導いていく。しかしそうしてしまうと、いざ現場だけで運用となった段階で業務が回らないという話をよく聞く。IT部門がさっさと魚を釣り上げ、現業が忙しい現場は、釣り方を覚える暇がなかったということだろう。実際、製造業においてもDXに大々的に成功したという事例にはなかなか出会えない。本章では、なぜDXは成功しないのかに迫ってみる。

セブン&アイのDX敗戦

2022年1月、「ダイヤモンドオンライン」にセブン&アイ・ホールディングス(以下、セブン&アイ)のDX敗戦のスクープ記事が連載され、話題となった。連載に

図13-1　DX成功の道筋は険しい？

よれば、巨額の投資をして進められていたＤＸ戦略が、２０２１年、総責任者であった執行役員の退社という形で大きな方向転換がなされたということである。「ダイヤモンドオンライン」の記事を読むと、多様な利権の絡んだ巨大組織が、ビジネスモデルの変革にまで踏み込むＤＸを成功させるのは、極めて難しいということがよく分かる。

　何が失敗の原因だったのか、大きく3点にまとめてみよう。

1）　経営陣がＤＸの本質を理解せず、トップダウンで推進しなかったばかりか、負担の増す現場に対して適切な対応をとらなかった。

2）　ＤＸの内製化という旗印のもとに大量

のＩＴ人材を採用したものの、「何を社内でして何をＩＴベンダーにさせるのか」の方針が定まらなかった。

3）販売の現場重視という旧来の文化の中にあって、ＤＸ推進を御旗に優遇されるＩＴ組織が現場の反感を買った。

我々が取り組んでいる製造業ＤＸ×３Ｄとは2、3桁も違うスケールの話にもかかわらず、これらの教訓は共通している。経営陣がＤＸの意味を理解し、何を目的に何をするのかを発信し、多忙な中で仕事の手法が変わることに反発する現場をうまく巻き込む。大方針は自社で決め、どう実現するかはＩＴベンダーに任せるといった方針を定める。変革の負担の大きな現場の意見を聞きながらも、巧みに変革を進める。こういったことが、プロジェクトの大小に関わらず重要になってくる。

ＣＩＯが語るＤＸの要諦

2022年4月、CIO Lounge理事長の矢島孝應氏に、ＣＩＯから見た製造業ＤＸ成功への要諦について話を伺った。

ＣＩＯ（Chief Information Officer）とは企業の情報戦略を決める最高責任者であり、ＤＸ推進のキーマンである。ＣＩＯには経営視点とＩＴへの高度な理解が求められるが、なかなかそれを満たす人材は乏しい上に、社内でＤＸへの理解が得られず孤立してしまうこともあるという。そこで、悩みの深いＣＩＯの間に横のつながりを提供するのがCIO Loungeだ。その組織を率いる矢島氏のお話の中で、特に興味深かったのが次の3点である（ＱＲ33）。

1）ＩＴと経営は表裏一体である。鮮度の高い情報に基づいて、正しい経営判断をすべきなのに、経営会議では古い情報が紙で配られている。これは経営者がＩＴを理解していないことに起因する。ＩＴ投資の結果を活かすには、誰もがＩＴを使いこなせるようにデータの民主化を進めるべきである。

2）ＤＸとはデジタルを使った変革ではない。ビジネスの変革をデジタルで行うものである。ビジネスモデルを変えるという意味では、ＤＸは起業をすることと同じである。つまり、ＤＸとはＢＸ（Business Transformation）である。

QR33：SPECIAL対談　ITを経営の羅針盤に
～CIOが企業内外のつながりを生み出し、
製造業DXを推進する～

図13-2　DXとは何か

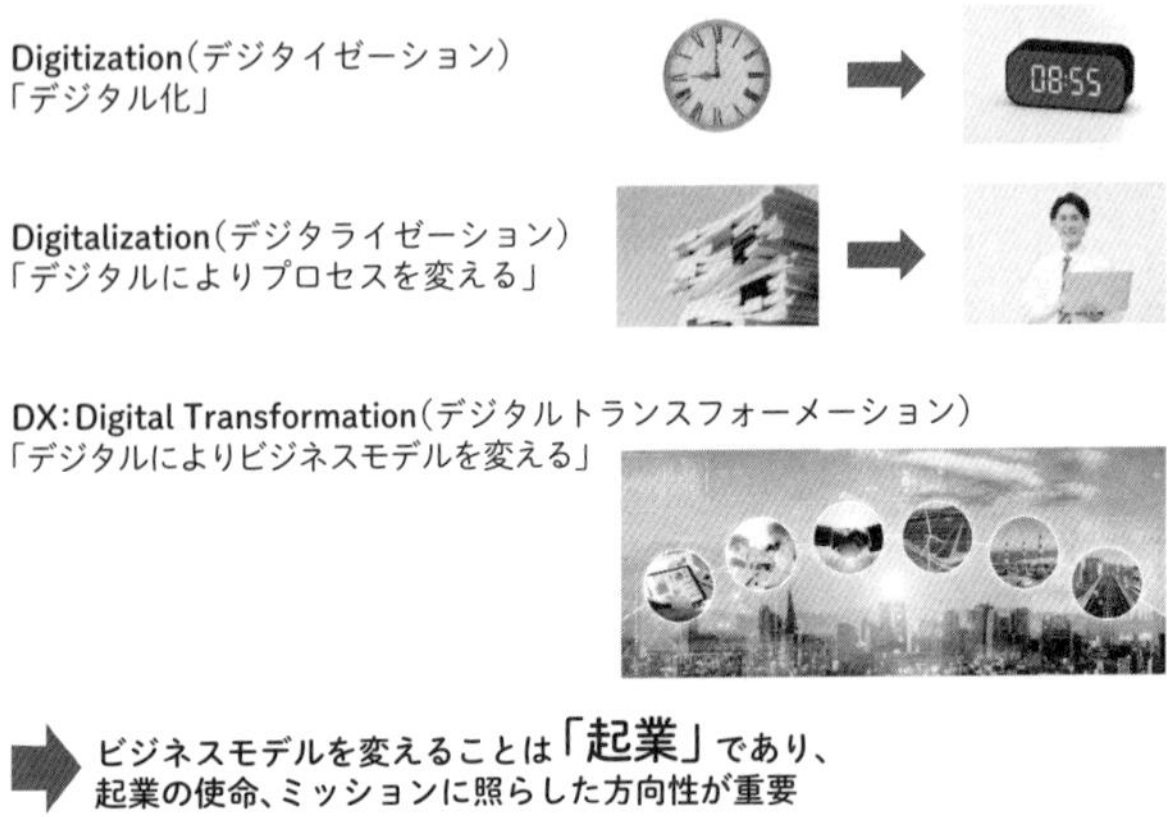
Digitization（デジタイゼーション）
「デジタル化」
08:55
Digitalization（デジタライゼーション）
「デジタルによりプロセスを変える」
DX：Digital Transformation（デジタルトランスフォーメーション）
「デジタルによりビジネスモデルを変える」
ビジネスモデルを変えることは「起業」であり、
起業の使命、ミッションに照らした方向性が重要

出典：CIO Lounge、矢島氏資料

3）DXはIT部門が率先して進めるべきである。その際には現場で変革意識の高い人間をIT部門に取り込んでおく必要がある。実際に何か新しいことをやってみようと思う人間でなければ、DXを推進することは難しい。

これらの3点を眺めてみると、セブン&アイの教訓と共通する点も多い。DXは単なるデジタル化ではなく、デジタルによってプロセスを変える。そしてその先にあるBXだと矢島氏は説く。DXがBXであるならば、社内データの民主化を進める上でも、経営者のDXへの理解は必須だ。そもそもDX成功のた

めには、ＩＴ部門と現場の協力が必須となるのであるから、社内の現場から変革意欲の高い人材をＩＴ部門に入れてＤＸ推進を進めさせるというのも、納得のいく考え方である。

では次に、これまでの話から、製造業ＤＸ×３Ｄを成功させるにはどうすればよいかを具体的に考えてみる。

サービスＤＸを３Ｄで実現する：タツノの場合

製造業ＤＸ×３Ｄの成功に向かっている企業の代表として、特にサービスＤＸという視点から、株式会社タツノ（以下、タツノ）の事例を取り上げてみよう。

ガソリン計量機大手のタツノは脱炭素社会が到来する中で、大きな変革を求められている。変化に強い企業体質を持とうと着目したのが、３Ｄ ＣＡＤデータの徹底活用である。ＣＡＤデータを設計部門だけが使っているのではもったいない、それを活用しない手はないというのがスタートであった。

そこでまず、株式会社図研プリサイト（以下、図研プリサイト）のVisual BOMを導入し、CADの3Dデータと部品表を連動させる。つまり、製品に対応する双子のモデルである3Dデジタルツインを構築できるようにしたわけである。続いて保守専用部品の3Dデータとサービス部品表を連携させる。上流の部品表がしっかり出来上がっていれば、部品番号をたどることでサービス部品表との連動も簡単である。

上流で3Dデジタルツインが整備されれば、XVLのWeb3D技術を使うことで、3Dデータを使った保守サービス情報をサービス担当者に送り、タブレットやスマホで表示することが可能になる。こうしてサービスDXを3Dで実現することによって次の3つのメリットを得ることができる（QR34）。

① 3Dデータを活かして、タイムリーにサービス用のパーツリストを提供できる。設計変更等で発生する部品の入れ替えによるパーツリストの更新と配信も即時である。

② Web上のサービスコンテンツにタブレットからアクセスできるので、サービス部門での交換部品の検索性能が向上し、製品の故障期間の短縮に貢献できる。

QR34：3Dがもっと身近になるXVL Web3Dコンテンツをご紹介(音付き)

図13-3　タツノ社構築システムイメージ：3Dデータの徹底活用

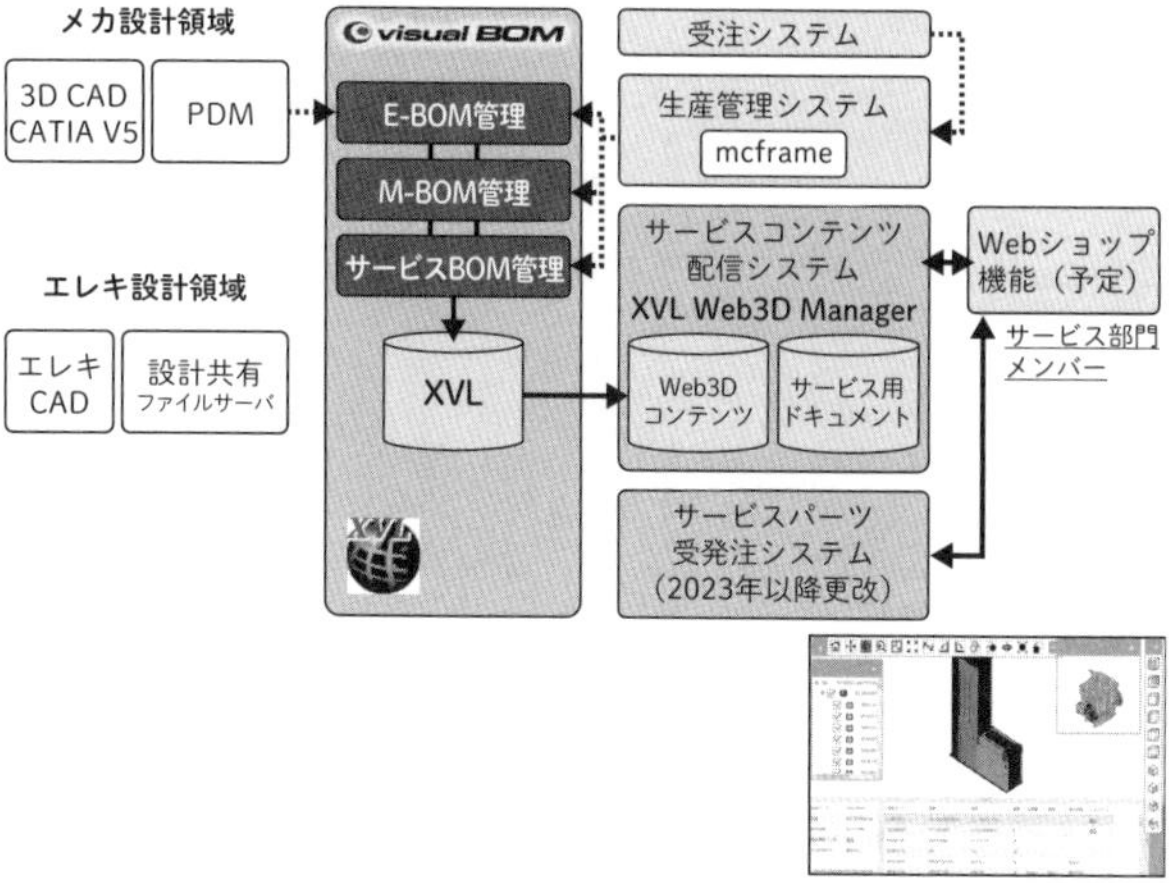

出典：株式会社タツノ

③　交換部品を3Dで視覚的に確認できるので、パーツリストの利便性が格段に向上し、それがサービス品質の向上につながる。

分かりやすい3Dデータを活用した情報がサービスの末端まで届けば、その情報をもっと活用できないかという発想に至る。実際、同社では図13-3にあるように、サービスコンテンツ配信システムを中核に、サービスパーツ受発注システムやWebショップの機能を実現していく計画である。どんな製品であってもサービス情報を迅速に提供でき、故障部品を素早く入手できるようになり、変化に強い企業体質を構築できるという理想の姿に近づいていく。

タツノ社に学ぶ製造業DX×3D成功への道筋

このDXの取り組みをタツノの経営層はいかに進めたのだろうか。推進責任者であった羽山文貴取締役（当時）との対談を、2022年5月に公開している（QR35）。

タツノの取り組みで面白かったのは、DXと大上段に構えずに、データを一元管理し活用していこうと考えたことである。これはまさに、先に述べたデータの民主化そのものである。そしてデータの有効活用のためには部品表の整備が必要だということで、Visual BOMの導入を決める。

この対談の中で、実際のシステム構築を担当した図研プリサイトの尾関将社長は、羽山氏のリーダーシップをDX成功の要因にあげている。設計部門のBOMシステム構築に留まらずに、一気にサービス部門でのデータ活用まで踏み込み、そのためのデータ作成や運用ルールを決めていったというのである。ここまでの話は先のセブン&アイの教

QR35：SPECIAL対談　タツノに学ぶ、製造業におけるDXの進め方

訓である、(1)経営陣の理解と率先、(2)ITベンダーとの信頼関係を具体的に実現したものといえる。

さらに面白いのは、データがまだ不十分な段階でサービス分野への適用をスタートしたという点である。羽山氏はサービス部門の意見を聞き、パーツ情報の3D化で飛躍的に効率化できることを知ると、設計部門を説得し、足りない部分の3D設計を担当するメンバーを配置したというのである。

これはセブン&アイの教訓(3)を見事に解決するものである。徹底的なデータ活用という発想から始まったプロジェクトでありながら、設計のための部門最適なデータ活用から、サービス部門も含めた全体最適の実現というレベルまで達成したことで、デジタルを利用した変革につながっていく。同社では今後、サービス情報とクレーム情報を一元管理してトレーサビリティを実現したり、サービスパーツの受発注システムを刷新していくことも計画しており、CIO Loungeの矢島氏のいう「BX」すなわち「ビジネスの変革」まで踏み出し始めている。

製造業DX×3D成功のヒント

規模の大小に関わらず、DX成功の要諦は案外共通しているのかもしれない。そのポイントは二つにまとめることができるだろう。

まず第一は、IT部門が先導役となって、現場はデータ活用により部門間の最適を実現し、トップはそれを一気に全体最適までもっていくという点である。

よく製造業DX成功はトップダウンかボトムアップかと聞かれる。トップ20%、ボトム80%のバランスではないだろうか。トップは現場を動機付けし、現場の改革は現場を誰よりもよく知るメンバーがボトムアップで進める。やはり、現場の推進リーダーが2人、具体的にはIT部門と変革対象部門の両方に熱い気持ちを持ったリーダーがそれぞれにいるのが理想だ。ある現場での変革が成功したら、トップは全体最適への道筋を定め、次のボトムアップに任せるという手順になるのだろう。

第二は、製造業DXの本質は、プロセスの並列化による開発期間の劇的な短縮にあり、そのためには部門を超えてデータを整備し、共有化し、徹底的に活用するという点にあ

る。XVLパイプラインという、製品と図面に代わる3Dデジタルツインの情報の流れを構築する。そうすれば、VRやARといった続々と進化する技術によって、さらに3Dデータの活用範囲が社外へも広がり、DXからBXへと進化していく。

日本企業は物事を抽象化して考えるのが苦手だといわれる。この抽象化能力の低さが、日本企業でDXが成功しにくい理由の一つともいわれる。

企業は抽象論よりすぐに成果の出る具体論を求める。抽象化とは物事を一般化することで、その本質をえぐり出すことである。その本質をデジタル技術によって解決する仕組みを作れば、もっと広い分野の課題まで解決できる可能性がある。問題の本質を見極め、デジタルによる解決策を、異なるプロセス、たとえば組織、関係会社、最終消費者にまで適用することで、DXは実現されていく。

こう考えてくると、3Dデジタルツインの情報の流れを構築するというのがその本質的な解決策になる。これによって、広範な領域の問題解決や事業展開が可能になっていく。そこまでいけば、製造業DX×3D成功の秘訣は案外身近なところにあるだろう。次は、経営とIT部門、それに現場の間で「魚の釣り方」、つまり効果的な「3Dデー

タの活用方法」を追求していくということだろう。そして今、多くの企業が最初の一歩を歩み始めている。

おわりに

「探していた何かを見つけて使う時間よりも、探す時間の方がはるかに長くなったら老いの始まりだ」とどこかで読んだ記憶がある。昔のドキュメントを探す時間の方がそれを使う時間よりも長くなる、という老いが始まっている企業も多いことだろう。この意味で、企業の若返りを進めるのがまさにDXである。

世界における日本のGDP比率は低下し続け、人口は減り、世界でも例のない速度で高齢化が進み、1ドル150円を超えるような円安にもなって、日本の国力が危ういと毎日のように伝えられる。このような中、日本のGDPの2割を支えてきた製造業をデジタルで復活させられないかを日々考え抜いてきた。製造業においては設計の3Dデータを利用すれば実現できる生産性の革新手段があるのではないか、それを製造業DX×3Dと呼ぶ。

日本の強みである現地現物を利用した擦り合わせと高度な図面を読み解く現場力、この両方をデジタルで支援するというのが3Dデジタルツインという考え方である。3Dの設計情報が設計部門に留まり、データとして流通しない現状をデジタル家内制手工業と呼び、ほとんどの企業はこの状態にある。ここから脱却する手段として、現地現物と図面を3Dデジタルツインで置き換え、その情報の流通と活用で、製造業DXを加速するというのが本書のテーマであった。

DXの本質とは部門を超えたデータの流通と活用にある。3Dデジタルツインという情報を流すことで、生技DX、工場DX、サービスDXが実現されていくことを先進メーカーにおける実例によって示した。

3Dデジタルツインの情報が流れることで、各部門が創意工夫をして情報を活用する土台が生まれる。先進メーカーにおける成功事例を見ると、日本の現場力は旺盛で、変革の仕組みさえ整えれば、DXは加速すると確信している。

この先、日本を襲うであろうすさまじい人口減少を思うと、圧倒的な生産性の革新が必須である。その際に武器になるのがＤＸだ。第二次世界大戦中に英国の首相を務めたウィンストン・チャーチルは「悲観主義者はあらゆる好機に困難を見出し、楽観主義者はあらゆる困難に好機を見出す」といった。さまざまな課題の解決にＤＸは武器となるが、ＤＸを進めることは好機にも困難にもなり、それは当事者の考え方次第である。たくさんの困難の中に一つでも好機を見つけるヒントが本書にあれば幸いである。

謝辞

本書を執筆するにあたり、製造業各社のトップマネージメントやＩＴ導入の推進責任者の方々と多数の議論をする機会をいただいた。

経済動向と大局的な製造業のあり方に関しては、早稲田大学の藤本隆宏教授と東京大学の新宅純二郎教授のお話が示唆に富むものであった。

CIO Loungeの矢島孝應氏からは、ＤＸとは何かに関して大きなヒントをいただいた。

ドイツの動向に関しては三菱電機エンジニアリングの尼崎新一氏と立花エレテックの山口均氏とのディスカッションが大変参考になった。

新しいコラボレーションの形については、トヨタシステムズの川添浩史氏とダッソー・システムズ社のStephane Declee氏とのディスカッションが有意義であった。

製品開発における集団脳のあり方に関しては図研の仮屋和浩氏、ＤＸの進め方に関しては図研プリサイトの尾関将氏のお話が有意義であった。３Ｄ図面や各種３Ｄフォーマットに関しては、エリジオンの相馬淳人氏の知見が大変参考になった。パートナー各社との議論、特に図研の上野泰生氏と大沢岳夫氏、大塚商会の武藤博氏、アルゴグラフィックスの藤澤義麿氏との議論も有意義であった。各氏に心より感謝申し上げたい。

製造業で実際に3D活用によるDXを推進されている方々、特に米国大手防衛メーカーのMarc O'Brien氏、三菱マヒンドラ農機の河本雅史氏、竹内製作所の土屋琢郎氏、日本電子の佐藤美和子氏、LIXILの慶野知治氏、SUSの渡邊雅志氏、タツノの羽山文貴氏、足代隆氏の先駆的な取り組みに敬意を表したい。それぞれがリスクを背負ってDXに挑むファーストペンギンであった。

最後にラティス・テクノロジーの社員、特にアイデアのディスカッションをしてくれた本橋聖一氏、原稿を読みやすくするためのチェックや論旨の整理に協力してくれた伊藤理子氏と中條友雅氏、QRコードの追加などハイブリッドな書籍化に貢献してくれた福原暁美氏、原稿完成度向上に多大な示唆をいただいた幻冬舎ルネッサンス編集部の山下達玄氏に御礼申し上げる。

著者プロフィール

鳥谷 浩志 (とりや・ひろし)

ラティス・テクノロジー株式会社
代表取締役社長／理学博士
東京理科大学上席特任教授

株式会社リコーで３Ｄの研究、事業化に携わった後、１９９８年にラティス・テクノロジーの代表取締役に就任。超軽量３Ｄ技術の「ＸＶＬ」の開発指揮後、製造業のデジタルトランスフォーメーション（ＤＸ）を３Ｄで実現することに奔走する。ＸＶＬは東京都ベンチャー技術大賞受賞、日経優秀製品・サービス賞など、受賞多数。内閣府研究開発型ベンチャープロジェクトチーム委員、経済産業省産業構造審議会新成長政策部会、東京都中小企業振興対策審議会委員、ＮＥＤＯ技術委員などを歴任。著書に『製造業の３Ｄテクノロジー活用戦略』（幻冬舎、2016年）『３次元ものづくり革新』（日経BP、2006年）『３Ｄデジタル現場力』（JIPMソリューション、2008年）『３Ｄデジタルドキュメント革新』（JIPMソリューション、2009年）『製造業のＤＸを３Ｄで実現する～３Ｄデジタルツインが拓く未来』（幻冬舎、2021年）などがある。

製《せい》造《ぞう》業《ぎょう》のDXを3Dで加《か》速《そく》する
デジタル家《か》内《ない》制《せい》手《しゅ》工《こう》業《ぎょう》からの脱《だっ》却《きゃく》

2024年5月31日　第1刷発行

著　者　　鳥谷浩志
発行人　　久保田貴幸

発行元　　株式会社 幻冬舎メディアコンサルティング
〒151-0051　東京都渋谷区千駄ヶ谷4-9-7
電話　03-5411-6440（編集）

発売元　　株式会社 幻冬舎
〒151-0051　東京都渋谷区千駄ヶ谷4-9-7
電話　03-5411-6222（営業）

印刷・製本　シナジーコミュニケーションズ株式会社
装　丁　　弓田和則

検印廃止

Printed in Japan
ISBN　978-4-344-69097-4 C0034
幻冬舎メディアコンサルティングＨＰ
https://www.gentosha-mc.com/